총몽 GUNNM

Last Order

완전판

12

GUNNM Last Order NEW EDITION ⑫
© Yukito Kishiro 2011
All rights reserved.
First published in Japan in 2011 by Kodansha Ltd.
Korean translation rights arranged by Kodansha Ltd.
through Shinwon Agency Co.

OUTLINE

미래. 사이보그 등 인체개조기술이 발달해 인간의 목숨값이 한없이 낮아진 세계.
공중도시 자렘이 지상을 지배하고, 그 아래에는 자렘에서 토해낸 쓰레기 더미를
중심으로 고철마을이라 불리는 독자적인 사회가 형성되어 있다.

고철마을의 사이버네틱 의사 이도는 쓰레기 더미 쪽에서 사이보그의 머리 잔해를
발견한다. 수백 년의 세월을 뛰어넘어 기적적으로 되살아난 소녀에게 갈리라는
이름을 지어준다.
기억은 잃었지만 갈리의 몸은 전설적인 격투술 판처 쿤스트(기갑술)를 기억하고 있었다.

이도와 함께 헌터 워리어로 일하기 시작한 갈리는 수많은 만남과 이별을 겪으며
조금씩 성장해나간다.
그리고 어떤 사건을 계기로 광기의 과학자 노바를 추적하다가 자렘의 지배에 맞서
싸우게 된다.

우주로 올라간 갈리는 친구를 구하기 위해, 고향을 지키기 위해
태양계 최대 격투 토너먼트인 ZOTT에 참가하게 된다.
자지와 핑을 비롯한 많은 사람들과 만나고 이별하며 결승전까지 진출한
갈리와 스페이스 엔젤스.
그리고 우주공수연합군과 사투를 벌인 끝에 승리를 거두고,
LADDER를 뒤에서 조종하는 음바디의 방해도 극복하며 아슬아슬하게
우승을 손에 넣는다.
하지만 기쁨도 잠시, 음바디는 마지막 발악으로 투기장을 통째로 달로 사출해버린다.
이대로는 월면도시와 충돌을 피할 수 없는 상황이 되는데…!

갈리 (요코)
기억을 잃은 사이보
그 소녀. 전설적인
무술 판처 쿤스트(기
갑술)를 익히고 있다.

포기어
사이버네틱 골법이
라는 무술을 쓴다.
용병시절에 갈리와
만나 연인 사이가
됐다.

이도
실력 있는 사이버네
틱 의사로, 갈리를
쓰레기 더미에서 재
생시킨 장본인.

케이어스
사이코메트리 능력
을 가진 노바의 친
아들. 고철마을과 자
렘의 융합을 꿈꾼다.

노바·X(텐)
업자역학을 창시한
악마적 천재 과학
자. 연구를 위해서
라면 수단도 목적도
가리지 않는 초위험
인물.

루
갈리가 TUNED 소
속이었던 시기에 오
퍼레이터로 함께한
친구. 현재는 뇌만
남아 있다.

CONTENTS

안녕하십니까!
컴뱃TV의
잭 겔런보
입니다!

저희는
방금 전에 퍼지된
어니언 프레임에서
구명 포드로
탈출했습니다.

Phase_106

LASTORDER

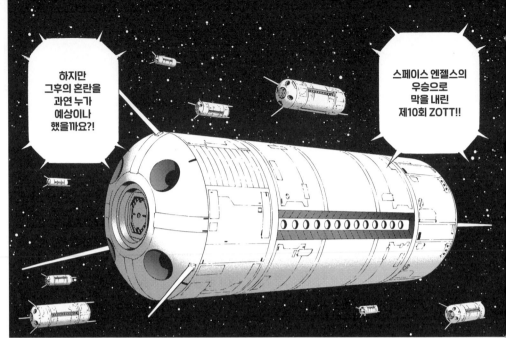

시작하지.

모든 승객과
승무원이
탈출했다.

뒷일을
부탁해도
될까?

100호한테는
미리 말해
두었지만…
조금 걱정이
되거든.

그리
하겠네.

그대가
원한다면

눈앞의 상대를
쓰러뜨리는
것과는
사정이 달라.

내게
이렇게 거대한
물체의 궤도를
바꿀 힘이
있을까?

그런 식으로
생각해선
안 돼.

아냐.

당연히
할 수 있어.

나라면
할 수 있어.

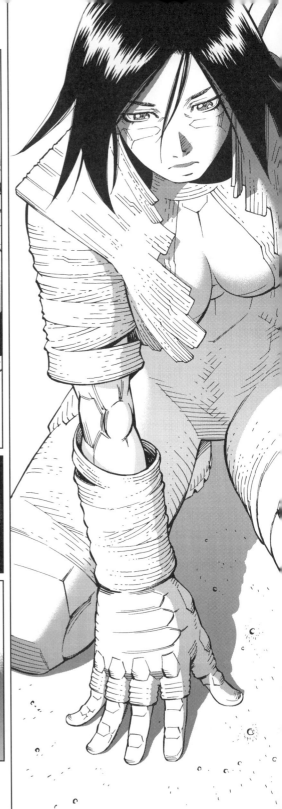

내 보디가
내 생각에 따라
움직이듯

걷듯
달리듯
춤추듯

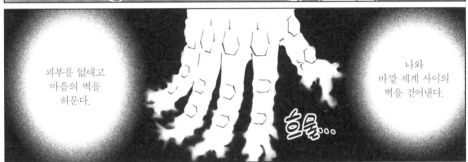

피부를 없애고
마음의 벽을
허문다.

나와
바깥 세계 사이의
벽을 걷어낸다.

흐물...

상상력의
제어라네!!

내가
사라진다...

아아...

내가
녹아서
섞여가고
있어...

줄타기엔
자신이
있으니까.

춤추듯
담대하게.
줄타기하듯
신중하게…

괜찮아.

이 아픔을
느끼는 '나'는
대체 뭘까?

가슴
깊은 곳이
아파.

평소에는
잊고 지내는
이 아픔…

욱신

하지만 목성 토포스피어*의 제어자인 나와는 상관없는 일이야!!

파멸은 멜키체덱의 존속과 직결되는 문제이니 네가 파멸을 피하려는 건 이해할 수 있다.

이 자식…!!

30년 내에 목성연방이 태양계를 정복하는 모습을 나는 관측했다!!

아니, 지구궤도연합체와 LADDER의 괴멸은 목성연방에게는 오히려 반길 만한 상황이지!

만약 그렇게 되면 너도 따분하지 않겠나.

후하하하하

* 토포스피어 : 목성을 구형으로 감싸는 인공 외각으로, 인류가 만든 사상 최대의 건조물. 광대한 주거공간 확보와 효율적인 에너지 이용을 목표로 건조를 시작했지만 건설자재를 둘러싸고 전쟁이 일어나는 바람에 미완성인 채로 남아 있다.

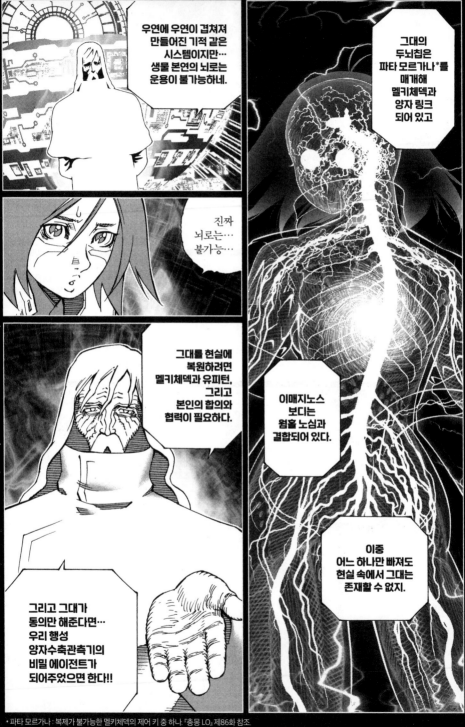

우연에 우연이 겹쳐져
만들어진 기적 같은
시스템이지만…
생물 본연의 뇌로는
운용이 불가능하네.

그대의
두뇌칩은
파타 모르가나*를
매개해
멜키체덱과
양자 링크
되어 있고

진짜
뇌로는…
불가능…

그대를 현실에
복원하려면
멜키체덱과 유피턴,
그리고
본인의 합의와
협력이 필요하다.

이매지노스
보다는
웜홀 노심과
결합되어 있다.

이중
어느 하나만 빠져도
현실 속에서 그대는
존재할 수 없지.

그리고 그대가
동의만 해준다면…
우리 행성
양자수축관측기의
비밀 에이전트가
되어주었으면 한다!!

* 파타 모르가나 : 복제가 불가능한 멜키체덱의 제어 키 중 하나. 『총몽 LO』 제86화 참조.

…것처럼 느껴졌다.

그렇게 고민만 하며 사흘을 보낸…

그 사람들은 뇌가 칩으로 된 자렘인 이었지만

이도… 그리고 루.

이도나 루가 로봇이라는 생각은 안 들고 그런 생각은 하고 싶지도 않아.

자신의 기억을 지워 버렸지.

이도는 자신의 뇌가 칩이라는 걸 알고

지금은 그때의 오만함이 부끄러워.

노라랑 팜 앞에선 뭐라도 되는 양 설교까지 했어.

지금은 어떤 심정이었는지 잘 알 것 같아.

그때는 이해할 수 없었지만

갈리는
정치적 이해에
좌우되지 않고
인류의 인과를
올바른 흐름으로
이끌기 위해
움직인다.

이것으로
삼자합의를
통해 계약이
성립되었다!

우리 행성
양자수축관측기는
음으로 양으로
갈리를
서포트한다.

그대를
비밀
에이전트

LASTORDER에
임명한다!!

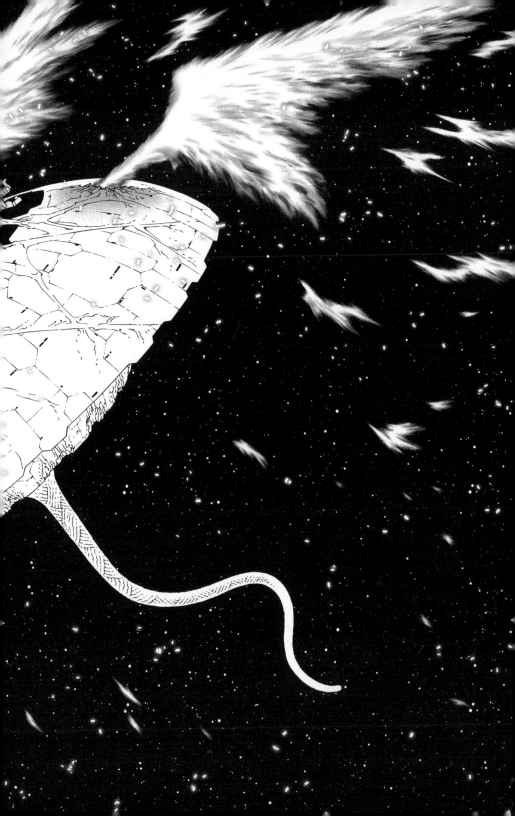

플라스마
날개로
추진력을
일으켜
궤도를
바꾼다.

갈리의
나노머신
침식에 의해
다른 모양으로
변모한
어니언 프레임.

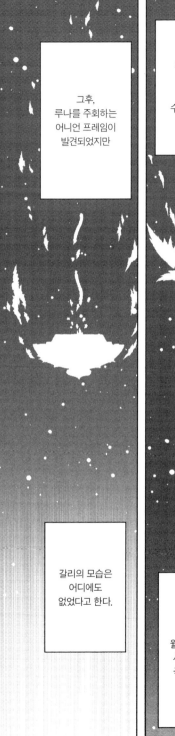

그후,
루나를 주회하는
어니언 프레임이
발견되었지만

갈리의 모습은
어디에도
없었다고 한다.

이때 예루,
루나의 각 도시에선
유니니머스가
정지한 영향으로
수많은 혼란과 폭동이
발생했기에

어니언 프레임이
월면충돌을 면했다는
사실을 깨달은 자는
극소수에 불과했다.

고철마을에 가고 있는데, 원한다면 태워줄까?

캬~ 그땐 정말 간 떨어지는 줄 알았지~!!

아… 며칠 전쯤에… 밤하늘이 번쩍 하고 빛났던 거?

그게 말이지~ 자렘이 떨어질 뻔했다더라고… 정말인지는 모르겠지만.

소문으로는 지금 고철마을에 엄청난 일이 벌어지고 있다던데~

갈리 퀘스트 I

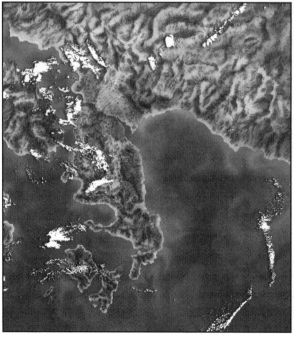

이야기는
11개월 전으로
거슬러
올라간다.

변경지역의 어촌 알함브라

10번!!

3번!!

다음 단계?

'통하기'도 꽤 능숙해 졌구나!

그럼 다음 단계로 넘어 가자꾸나!!

사아─···

하아.

하아.

사이보그 처자랑 결혼하겠다는 생각은 변함없느냐?!

······

포기어야.

사이보그랑은 애도 못 만든다.

갈리는 그런 여자가 아니야!!

너 같은 녀석은 까맣게 잊고 도시로 가버린 게 분명하다.

전쟁도 끝났는데···* 대체 언제 돌아온다는 게냐.

아, 거 할배··· 말도 많긴···

네 부모가 살아있었다면 꽤 실망했을 게야.

* 전쟁도 끝났는데 : 자렘을 상대로 반란을 일으킨 '바잭의 난'을 말한다. 이 시점에선 바잭의 난이 종결된 지 약 2개월이 지났다.

어~이!

오오, 왔구나!

캐러밴이 왔어~

그래, 다음에.

나한테도 골법 가르쳐줘.

물론이지.

포기어, 영감님은 잘 지내셔?

따당따당!

내부도 평범한 총이랑은 완전히 달라~

그런데 어디가 어떻게 고장났는지 총알이 안 나가.

나도 볼래, 나도!

어라~ 이 권총 참 특이한걸.

신기하네.

자, 잠깐 나 좀 보여줘!!

하하하, 총알도 안 나가는 총은 단순한 장난감이지.

'죽음의 천사'가 쓰던 총이라기에 돈을 엄청 줬는데 손해가 이만저만이 아니야.

아얏!

분명히 갈리가 쓰던 것과 같은 총…!!

이… 이건.

나도 장소까지는 몰라.

아… 아무튼 살해당한 '죽음의 천사' 한테서 회수한 장비라는데…

나… 나는 골동품상한테서 샀을 뿐이야…

이 총의 주인이 어떻게 됐는지 혹시 알아?!

…죽었다고?!

…갈리가…

갈리가
죽었을 리가
없다고!!

내 눈으로
직접 확인
해야겠어.

어쩔 작정이냐,
포기어.

포기어…

뻔한 걸
뭘 물어!

말려봐야
소용없어,
사부!!

반드시
색시를 데리고
돌아와야
한다!!

여비에
보태거라.

묵
직

TAURO

사부!!

고마워···

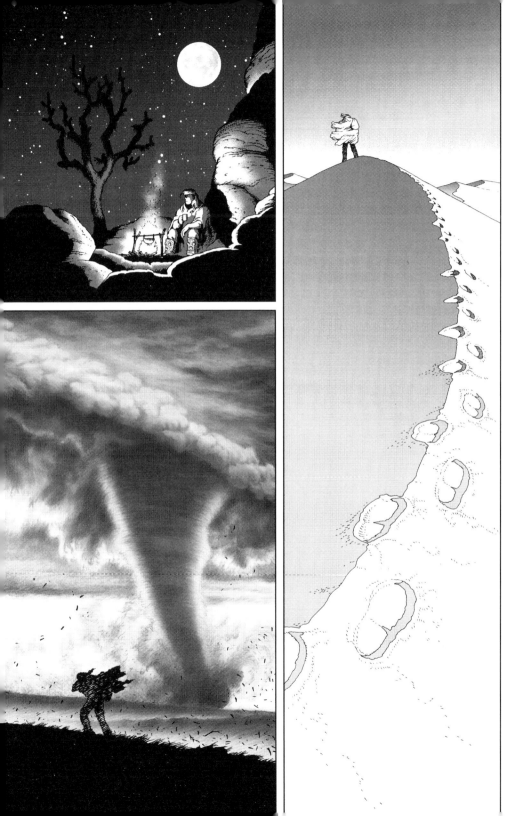

자, 잠깐만, 항복! 항복할게!!

바객의 생존자가 강도로 전락하다니 …

분명 내 전우가 자렘 공략전에서 봤다고 했어…

죽음의 천사…

이 여자에 대해 아는 거 없나?!

열차포 헹 말이야.

자렘 공략전?

쏴아아 아

휘이이잉

지금은
흔적도
없지만…

왜
그러지?

나는 폭발로
정신을 잃었으니
죽음의 천사가
그후에 어떻게
되었는지는
모르네…

……

어째서
나만
살아남은
걸까…

다들 좋은
녀석이었
는데…

내 전우는
여기서
전부
죽었어…

바사쿠마을

원래는 '바사쿠(馬借)'라 불리는 운송업자들이 중계지로 쓰던 작은 마을이었지만, 바잭의 대두와 함께 공업화되어 현재는 고철마을에 버금가는 인구를 자랑하는 도시가 되었다.

바젝이 강탈한 원자력 기관차의 보일러를
마을의 주요 발전장치로 사용하고 있다.

아, 이 여자? 본 적 있어~

역시 살아 있었구나!!

갈리, 내가 지금 갈게!!

이상한 바이크를 타고 다녀서 눈에 띄더라고. 확실해, 바로 어제 봤지.

정말 이야?!

내 뒤를
잡다니
제법이군.

움직이지
마.

하지만 난 돈이
별로 없거든…
다른 녀석을
노리는 게 어때?

갈리에 대해
캐고 다니는
이유가 뭐지?!

대답해라.

드디어
만났구나,
갈리!!

포…
기어…

왜 그래?!
나야!
포기어라고!!

……

좋아! 이야기는
나중에 하자!
일단 여기를
벗어나는 게
우선이야!!

뭐라고?!

도와줘
…
포기어.

나 지금…
쫓기고
있어…

부르르릉————…..

뭐라고?!

들켰어!

갈리 퀘스트 Ⅱ

저건 대체 뭐하는 놈이야!!

더 빨리! 이러다 따라잡히겠어!!

드디어
포기했나?!

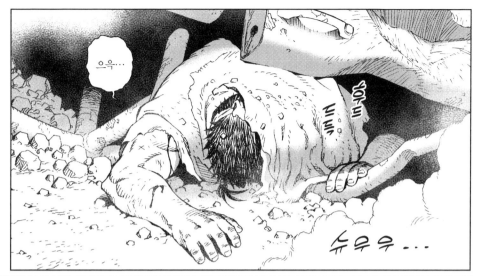

가…

어… 어떻게 만났는데…

갈리…

어떻게 이런…

아아…

그건 갈리가 아냐.

갈리가… 아니… 라고…?!

……

나와 마찬가지로 갈리의 데이터를 베이스로 만들어진 양산형 TUNED*다.

그건 GR-4.

* TUNED : 예전에 자렘의 지상감찰국(GIB)이 만든 에이전트 및 그 시스템. 갈리는 TUNED 제1호였다.

하지만…
달라!!

갈리랑
닮았어…

이름이…
그래,
포기어
였던가?

너는
갈리와
한패거리
였던…

언젠가 내가
꼭 찾아가서…
죽여버리겠다고!!

갈리를
만나게 되면
꼭 전해라.

크아아악!

조금 긁기만 해도 이 꼴이라니.

하지만 어차피 평범한 몸… 약하기 짝이 없군.

어떻게 그렇게 가볍게 움직일 수 있지 …?!

완벽하게 뇌에 통하기가 들어갔을 텐데…

넌 지금 죽여주마!!

인간 따위에는 아무 관심 없었지만… 마음이 바뀌었다.

평범한 사이보그라면 위험했을지도 모르지.

하지만 나는 구조가 다르거든!!

파ㅡ앙

하아.

하아.

쓸

쓸

으잉~?

번쩍

도망쳐 봐야 소용없어~

쿠를쿠를

쿠를

뺘 아 아 아ㅡ…

팜21

강에서 사람이 떠내려왔어~

남자는 아직 숨이 붙어있구먼!

응급 환자인가! 가자, 케이나!!

멍청아! 여기가 시체보관소인 줄 알아?! 장의사한테나 연락하라고!!

急診療所
MEDICAL HOUSE

*진료소

거 정말! 살아있다고 빨랑빨랑 말을 해야지!!

아, 그게.

슉

사이버네틱 의사
이도 다이스케

갈리 퀘스트 Ⅲ

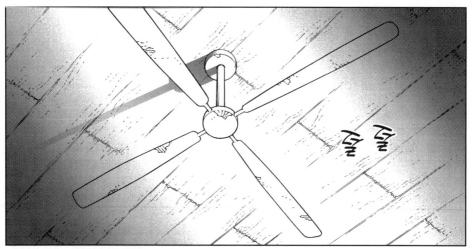

오! 정신
차렸구나!

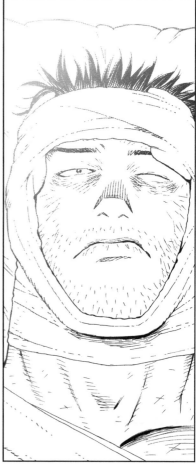

팔이 찢겨나간 채로
불어난 강물에
떠내려왔는데…
보통 사람이라면
일찌감치
죽었을 거야!

터프하네
~!!

갈리…

……

마침
잘됐네.

눈뜬 김에
이것부터
골라봐!

갈리는
어디에
있냐!!!!

특상, 상, 중.
어느 걸로
할래?

우리는 신뢰를
최우선하니까
AS도 걱정할
필요 없어!!

이 보다는
진짜 뇌 대신에
작은 전자 칩을
인공두뇌로
쓰고 있었어.

외모는
똑 닮았지만…
갈리가
아니야.

기분이
풀렸나?

이마에
6이 쓰인
녀석의…
말대로인가…

나는
케이나야!

다시
자기소개를
하지.

나는
이도.

우리도 처음엔
무지하게 놀랐거든!
갈리가 아니라서
정말 다행이야!!

갈리랑 아는
사이일 줄이야···
세상 참 좁군!

그거 말고!
포! 기! 어!

피규어 씨?
이름이
깜찍하네~!!

나는
포기어
포어.

어째서?! 이 녀석은
안드로이드인데다···
갈리 행세를 하면서
너를 속이려고 했잖아?!

그 이마에
4라고 쓰인 시체···
제대로 묻어주지
않겠나.

이도
선생··· 부탁할 게
있어.

딱하잖아.

그 녀석도 나름대로 필사적으로 살려고 몸부림치다 그런 거겠지.

그야 그럴지도 모르지만···

자네의 마음을 존중하도록 하지.

알았어.

울 것까진 없잖아···

뭐야···

이런 건 정말 웃긴 짓이야.

잘 분해해서 재활용해주는 게 도리라니까.

말해두겠는데, 사이보그나 안드로이드는 땅에 묻어봐야 흙으로 돌아가지도 않아.

이건 이것대로 좋잖아.

그야 그럴지도 모르지만…

조금은 알 것 같아…

갈리가 왜 반했는지

절뚝

절뚝

정말 바보네!

그러게 말이야.

나도 결국
한 팔이 기계가
되었군…

가짜 갈리를
재활용했다면
의수값 정도는
나왔을 텐데…

그러니까
바보라고
말한 거야.

의수도
공짜가
아니거든!!

혹시
치료비를
떼어먹을
생각은
아니겠지!

윽…

난 언제
퇴원할 수
있지?

완치되려면
5주는
걸리겠어.

어떻게 갚아야 할지 막막한데…

돈… 얘기를 하자면 보시다시피 무일푼이야.

제가 몇 번이나 말하지만, 자선사업으로는 먹고살 수 없다니까요!!

안이 해요!

케이나, 대놓고 그렇게 말하면…

뭐. 여긴 좋은 곳 이니까!

그러다가 이 마을에 그대로 눌러앉은 사람도 꽤 있어.

2…3년…

농지 개간 일을 2~3년 정도는 해야겠네.

그러게.

잠깐 숨 좀 돌리자~

그 6자 녀석이
갈리의 목숨을
노리고
있을 텐데…!!

이러는
동안에도…

그 망할
여자…

젠장!

능글능글한
눈빛으로
사람 약점이나
콕콕 찔러대고
…

갈리…

지금
어디에
있지…?

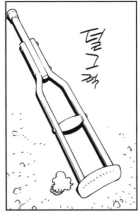

무, 무슨 짓이야!!

오아아아악

상처가 다 벌어져 버렸네!!

이 멍청아… 내가 격한 운동 하지 말라고 그렇게 말했잖아!!

몸이 이꼴이면…
난 이미 무술가로서는
끝난 거나 다름없어…

이렇게
한심할
수가…

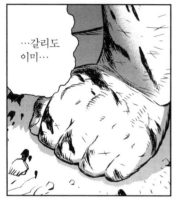

…갈리도
이미…

나를 보라고,
90%는
사이보그야!
갈리도
그렇잖아!!

고작
팔 하나로
뭘 징징대는
거야!

지금은
선생님이
자리를
비우셨지만…

일단
응급처치는
해두었어.

이마에
6이라고
쓰인 놈이
죽었을지도
모르니까…

이 세상에
없을지
몰라…

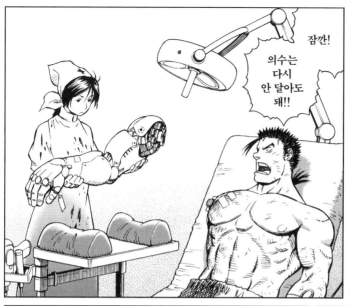

잠깐!
의수는
다시
안 달아도
돼!!

안심해,
이 의수는
외상으로
달아둘
테니까.

거 말 한번
서운하게
하네~

나를 빚더미에
앉혀서
농노로 만들
속셈이지!!

그 대신에
제대로 회복해서
갈리를
꼭 만나야 해!!

망가진 의수랑
치료비도
형편될 때
알아서 줘.

뭣…

마을에서 꺼져!!

굼벵이래요~!! 숯다리래요~

진~짜 역겹다! 우왓, 웃고 있어!

키킷.

구해줘서 고마워요.

튀자!

꺄악 이다!

이 버릇없는 놈들! 사람 괴롭히면 안 돼!!

당신은 좋은 사람 이군요.

사람을 겉모습만으로 차별하지 않으니…

괜찮다면 내 이야기를 좀 해도 될까요…

지금은 마을 외곽에서 부상병의 사회복귀를 위한 재활을 돕고 있답니다.

예전에는 바깥에서 군의관으로 있었지요.

나는 닥터 리벳.

그분께서는 지직거리는 모니터 너머에서 이렇게 말씀하셨습니다.

'구세주'…?

그 공적이 결실을 맺었는지 어느 날 나는 '구세주'를 알현하게 되었어요.

그저 천의 얼굴을 한 광기만 존재할 뿐이지요.

인간의 마음에 '제정신'과 '광기'의 경계 따위는 없습니다.

누구에게도 허락받지 못한 내 존재에 완전한 구원을 얻었습니다.

그 한마디에 나는…

설령 세상이
변하더라도
우리의 비참한 생을
따라다니는 괴로움은
사라지지 않지요.

덴은
무력으로
세상을
바꾸려
했지만

구세주의
이름은
바로…

노바 님만이
인식을
변혁해

고통에
새 이름을 주고
영혼을
다른 차원으로
이끌어주십니다.

디스티
노바!!

하지만… 전쟁의
종결과 함께
노바 님의 소식도
완전히
끊기게 되었지요.

자세하게
얘기해줘!

죽음의
천사…?!

어느 정보에 따르면
종전에 즈음하여
노바 님의 연구소에
죽음의 천사가
돌입작전을
펼쳤다고 합니다만…

이건
가설이지만
…

그래도 나는,
지금도
노바 님이
살아 계신다고
믿고
있습니다.

거기서
무슨 일이
있었는지는
모르겠지만.

뭐라고…?!

뭐…

갈리 퀴스트 Ⅳ

끼기기이익

닥터 리벳의
부상병 전문 재활시설
해바라기재활원

으허허 허헝

틀렸어~ 난 쓰레기야~

리, 리벳 선생님, 약! 약 좀~

으아아앙~

민폐니까 이제 그만 연락해라!!

동지는 얼어죽을… 전쟁 끝난 지가 언젠데!!

동지여!!

부탁한다, 약이 부족해!!

자, 잠깐… 이런 때야말로 '자기제어 리모컨*' 이다…!!

이럴 수가… 나는 이제부터 어떻게 해야…

메이데이, 메이데이!! 에스오에스 으으!!

헬로? 헬로?! 여보세요 ?!

* 자기제어 리모컨(Self Zapper) : 호세 델가도(1915~2011)가 1970년대에 발명한 뇌에 심는 칩(스티모시버Stimoceivers)과 같은 것. 뇌에 국소적인 전기 자극을 주는 방식으로 정신활동이나 감정을 마비 또는 유발시켜 강제로 컨트롤한다.

보였다…!!

오…

오오.

이 사회에서
패잔병이라는
배척을 받으며
갈 곳을
잃은 자들이여!!

제군!

구세주
노바 님께는
두 명의
충직한 부하가
있었다고 하지.

전설에
따르면

나의 가설은
계시에 의해
확신이 되었다!

이것으로
모든 퍼즐은
맞춰졌어!!

그리고
'죽음의
천사'의
시체…

또
한 명은
괴력의
거한.

바자르도
!!

한 명은
요염한
조수.

일라이!!

아으으.

?

그런데
그게 우리랑
무슨
상관이야?

구세주
디스티
노바 님이
분명하다!!

지금
이도라는
이름을 쓰는
그 의사가
…

틀림없이
우리의 존재를
근본적으로
해결해주실 거야!!

노바 님
이라면

슬프지만…
내 힘으로는
너희의 고통을
일시적으로
덜어주는 것밖에
할 수 없다…

하지만
노바 님
이라면!

디스티 노바라는
이름에 뭔가
떠오르는 거 없나?

이도
선생…

재활운동은
잘하고 있나?

?!

그 남자의
이마에는
자렘인의 각인이
있었다고 하더군.

아마 바젝을
뒤에서
봐주고 있다던
자렘 출신
과학자…

노바
라면…

시치미
떼지 마,
선생…

당신이 바로
디스티
노바잖아?!

지,
진정해!

난
아무것도…

그렇담 갈리의
행방을 알고
있을 텐데

왜
숨기는
거지?!

이 자식!
무슨
짓이야?!

저리
물러…

이도
선생님이
노바라고
…?!

발차기가
엄청 세잖아…

뭔가
무술을 배운
솜씨인데…?!

쿡!

이
얼간아!!

무슨 말도
안 되는
착각이야!!

그런 푸딩밖에
모르는
변태 땅딸보 자식을
똑같이
취급하지 마!!

저렇게!
댄디한 이도
선생님이랑!

하… 하지만
자렘 출신 의사가
그렇게 많지도
않으니…

저도 소문으로 들었을 뿐이에요.

아… 아뇨.

네?!

꼭 만나본 것처럼 말하는구나.

케이나. 노바와 면식이 있니?

나… 난리 났네.

다고…?!

기억이 없…

나한테는 이 마을에 오기 전의 기억이 없어…

확실히 듣고 보니 부자연스럽네.

이제까지는 일에 치이느라 의문스럽게 생각한 적조차 없지만…

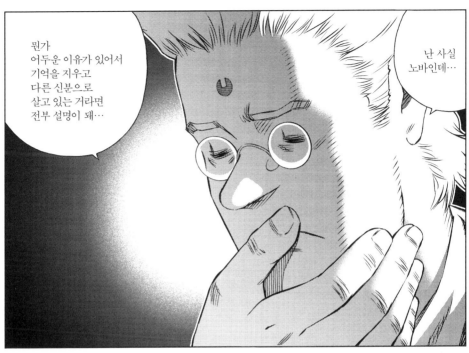

뭔가
어두운 이유가 있어서
기억을 지우고
다른 신분으로
살고 있는 거라면
전부 설명이 돼…

난 사실
노바인데…

하지만
물증이
없어.

아니에요!!
선생님이
결백하다는 건
제가 제일
잘 알아요.

그건 절대로
누구한테도
보여줘선
안 돼!!

있지만!!

증거는
있어!

자비를!!!

노바 니이임!

최종 해결자 이시여!

우리의 고통을 해결해주소서!!

큰일이네! 이것들… 말이 전혀 안 통해!!

사람 잘못 봤다니까!!

아니라고 대체 몇 번을 말해야 하냐고!!

124

너희 같은 놈들에겐
잘해봐야 산 채로
5등분당해서
해부재료로 쓰이다가
표본이 되는
결말밖에 없다고!!

키히히!

으엑.

자, 어서
저를
표본으로
써주십
시오.

자.

어서요.

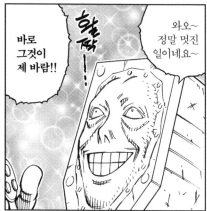

바로
그것이
제 바람!!

와오~
정말 멋진
일이네요~

학대받던 자가 용맹한 자로…
어리석은 자가 현명한 자로,
죄인이 성인으로,
죽은 자가 산 자로,
끝날 줄 모르는 역전이
일어나게 되니까요!!

노바 님께서
개척하실
신세계에선
선악은 의미를
잃고…

126

뭐,
좋습니다.

오늘은
물러가지요..

ㅇ ㅇ───

머리가
어떻게 된 거
아냐?!

뭐…
뭔 소린지
모르겠어!!

분명 꼭
지켜야 하는
비밀이라도 있으신
모양이군요…
이해합니다.

그렇게까지
일반인 행세를
하면서 정체를
숨기려 하실
줄이야…

드디어
포기
했구나!

교역상의
입을 타고
며칠 만에
온 황야에
퍼졌다.

팜21에
디스티 노바가
있다는
소문은

뭐해…
잠이
안 와?

아니…

뭐야, 아직
이도 선생님을
노바라고
의심하는 거야?

그렇긴
한데…

체력도 꽤
회복되었으니
슬슬
퇴원해야지?

석 달간
이 진료소에서
신세를 지면서
확실히 알게 된
사실이 있어.

잘
모르지만
…

나는
그런 사정은
잘 몰라.

너도
이도 선생도
앞뒤가
다르지 않은
좋은 녀석
이야!!

나는
그렇게 믿어!!

포기어…
여기서만
하는
이야기인데
…

앞뒤가
다르지
않다…

예전에
노바의 연구소에서
일했어…!!

나…
실은…

누구한테도
말하면
안 돼!!
절대로!!

말했다간
가만두지
않을 거야!!

그 정도는 한참 전에 눈치채고 있었다고!!

흐음~ 이라니!! 좀더 놀라란 말야!!

흐음~

모르모트가 될지 실험 조수가 될지는 완전히 노바 마음에 달렸으니까.

물론 좋아서 일했던 건 아냐…

하여간 인생은 생각대로 되는 법이 없다니까…

이제 와서 노바의 그림자에 벌벌 떨게 될 줄은…

옛일은 다 지워버리고서 이도 선생님이랑 여기서 행복하게 살고 싶었는데…

뭐지?!

갈리 퀘스트 V

누…
누구십니까
?!

히이익!

쳇.
아니군.

노바는
여기에
있나~?!

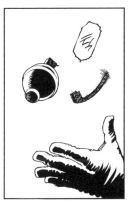

저…
적습입니다!!

대체
무슨 일이야?!

어… 어떻게
이런 일이…

뭐라고?!

놈들이…
노바 님을
찾고
있어요!

진정해!!

네가
쓸데없는 소리를
지껄여대서 이렇게
된 거잖아!!

히이이,
죄송
합니다아!

이쪽인가?!

선생,
죽고 싶어서
그래?!

와오,
혹시
빙고?!

저쪽에
병원이
있어!

놈들의 목적이
노바라면…
나만 잡히면
학살이
끝날 거야!!

놔줘.

미안해요!!

선생님…

이도 선생님은
앞으로
수천, 수만 명의
생명을 구하실
분이야…

이런 곳에서
죽게 할 수는 없어!!

그곳이라면 넉넉하진 않지만 무기나 탈출에 필요한 물자와 차량이 있습니다.

보트를 타고 저수지를 가로질러 제가 운영하는 '해바라기 재활원'으로 대피하는 건 어떻습니까?

한 가지 제안하겠습니다만

진료소로 돌아가시는 건 위험합니다.

지금은 그게 최선이긴 하겠네.

네 제안에 응하는 건 내키진 않지만

진료소에… 꼭 가지고 와야 하는 물건이 있거든.

포기어… 선생님을 부탁할게.

케이나, 어디에 가려고?!

기다려!!

넌 선생 곁에 있어줘!!

위험해… 내가 대신 갈게!!

하지만…

넌 우연히 말려들었을 뿐이잖아. 그렇게까지 기댈 수는 없어.

고마워… 하지만 마음만 받을게.

이 카포에라* 너스 케이나가 저런 잡놈들한테 당할 거라고 생각하면 곤란하지!!

입원 환자가 걱정해줘야 할 만큼 초라해지진 않았어!!

*카포에라 : 정식 표기는 '카포에이라'. 브라질에서 만들어진 격투기로, 다채롭고 아크로바틱한 발기술로 유명하다.

우리
진료소가…!!

응?!

불타고
있어…

이도 선생님과의
추억이 담긴
장소가…

지금은
감상에 젖어
있을 때가
아니야.

그것부터
빨리…!!

찾았다
…!!

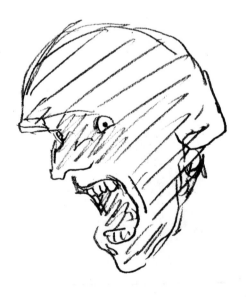

갈리 퀘스트 VI

대체…
무슨 일이
일어난
거지…?

안
되는데
…

해부실…
청소해야
하는데…

케이나
~!

다친 사람은
살살
다뤄야지!!

이야,
멀쩡한 것
같네.

정신차려!!

진료소가
폭발하는 걸
봤을 때는
이미 틀렸다고
생각했는데…

걱정이 되어서
이도 선생을
해바라기재활원에
맡겨놓고 돌아왔지.

그런데
'소중한 물건'은
찾았어?

이건 그 누명을
벗겨줄 증거야!

그것도 모자라
이도 선생님
스스로도
자신을
노바라고
의심하다니…

내가 이도
선생님을
옹호해봐야
아무도
믿어주지
않잖아.

뭐야,
로맨틱한
추억이라도 있는
물건인가
했더니…
디스크였냐.

우리도 빨리
해바라기
재활원으로
돌아가자!!

마을이
…

이건
너무해…

아무리
노바한테
원한이 있다고
해도…

이렇게
지독할 수가
있냐고…!!

어떤 대의명분이 있다 한들
다수가 되어버리면
인간은 이렇게 쉽게
타락하는 법일까…

난 바젝의
전쟁에서도
무의미한
학살을
수도 없이
봤어…

162

팩토리 철도도 멈췄는데…* 아무리 생각해도 수상해.

이런 농촌에 무장경비병이 있을 줄이야.

구 터미널

* 팜21은 과거에 고철마을과 팩토리 철도로 연결되어 팩토리법의 통치하에 있었지만 바잭의 난 때 해방되면서 철도도 폐선되었다. 전쟁이 끝난 후에는 자연스러운 흐름으로 독립자치를 하고 있다. (작가주)

와하하!!

죽여라,
죽여,
죽여~!!

잘
찾아봐!

젠장…
이거다 싶은
놈은
안 보이는데
…!!

비밀문이
있을지도
몰라!

가압수형 원자력 발전기

아,
거 더럽게
왱왱거리네!

해바라기재활원

보⋯ 보⋯
보고오~!!

포로 1명을
잡아
와았스읍
니다아!!

마⋯ 마⋯
마을 경계선에서
수상한 트레일러를
발견⋯ 이⋯ 이것을
포⋯포⋯ 폭파!!

주⋯
죽여라⋯!!

아⋯아⋯ 아마
오늘밤 습격의
주동자로
보입니다!!

큭⋯

오오,
잘했다!!

정말로 당신이 이 습격의 주동자인가요…?!

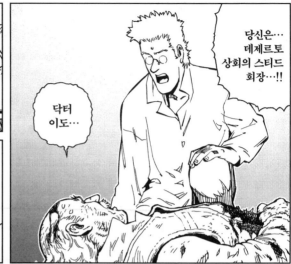

당신은… 데제르토 상회의 스티드 회장…!!

닥터 이도…

설마 자네가… 노바였을 줄이야…

증오로 흐려진 네놈의 인식도 이제부터 분자 레벨에서 해결해주실 것이다!!

바로 그렇다!! 이분이 바로 인류의 최종 해결자 디스티 노바 님이시지!!

개조다앗 ～!!

해결이다앗 ～!!

와아아아

그건 전부 구원을 갈구하는 사람들이 망상에 사로잡혀 만들어낸 유언비어입니다…

믿어주세요… 저는 노바가 아니에요!!

이 무의미한 공격을 중지시켜 주십시오!!

이 마을에 노바는 처음부터 존재하지 않았어요.

내 무전기가 있는 곳까지 데려다 주겠나…

알겠네.

……

내 조카가 사고를 당했을 때는 자네에게 큰 신세를 졌지…

포기어.

케이나.

적의 두목을 잡았다는 게 정말인가요?!

오해는 풀렸어…!!

이제 괜찮아.

노바 토벌 작전에 참전중인 모든 병사에게 고한다!!

저… 적이 계속해서 밀려들고 있습니다!!

방위선을 사수해라!!

이대로는 조금씩 밀리다가 결국 끝장날 거야!!

죽이려면 죽여라!!

큭…

이 빌어먹을 노친네, 대체 뭔 소리를 한 거야!!

이제
네놈들은
끝이야!!

내가 죽어도
바샤쿠은행에서
병사들에게
보수를 지불하기로
되어 있으니까!

네가 죽인
내 딸 부부의
죗값을 치러라!!

목숨이
아까워서
하찮은
변명이나
늘어놓다니.

스티드 씨…

갈리 퀘스트 Ⅷ

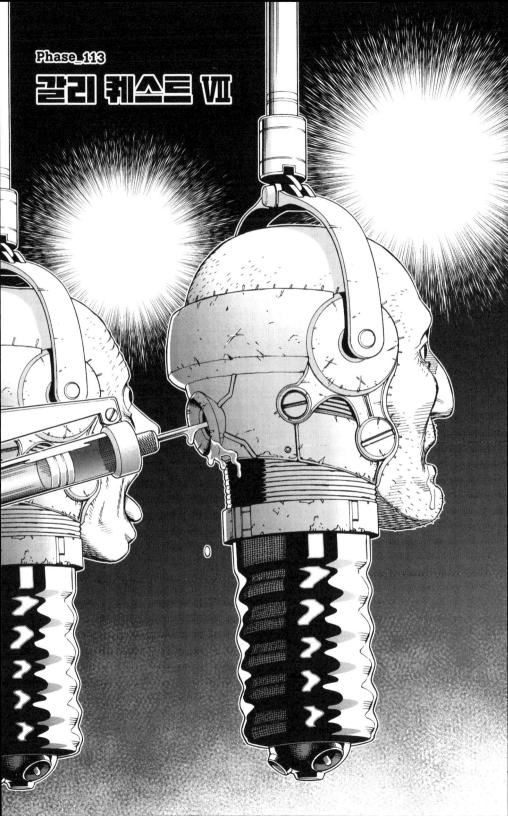

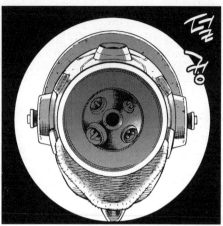
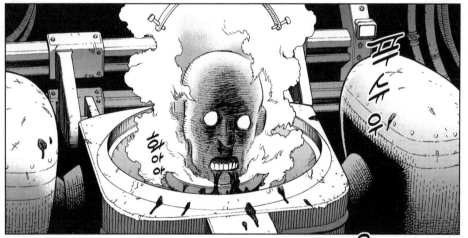
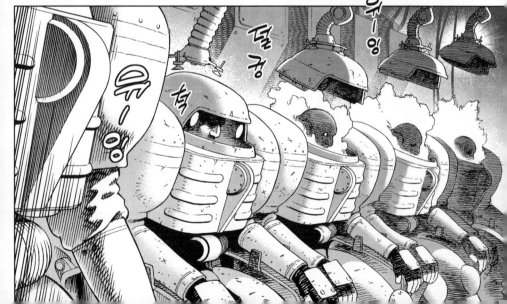

적일 때는 골치 아팠지만 우리 편일 때는 든직하네!

부탁한다, 장갑병!!

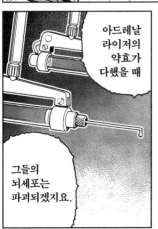

아드레날 라이저의 약효가 다했을 때

그들의 뇌세포는 파괴되겠지요.

그들은 이곳에서 죽기로 결심한 겁니다.

마지막 소켓병 다섯…

저 사람들한테 뭘 투약한 거죠?!

터무니 없는 소리를 …!!

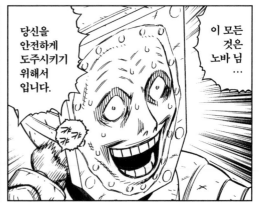

당신을 안전하게 도주시키기 위해서 입니다.

이 모든 것은 노바 님 …

바자르도
님,
이쪽
으로!!

나?!

문을
닫는은다아!

타이어 교환이랑 합쳐서 15분만 벌어줘!!

배터리가 방전되었어…

영감은 잠깐 입 좀 다물고 계셔.

두두두

두두두

네놈들은 다 여기서 죽을 테니까…!!

소용없는 짓이야…

이도 선생님…

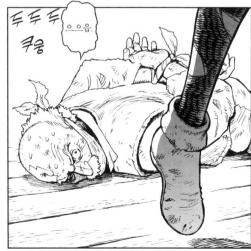

두두두 쿠웅

으…읍.

선생님은 아무 잘못 없어요.

노바의 죄도…
이 말도 안 되는 소동도…
선생님이 책임질 일이 아니라고요!!

너한테는
언제나
신세만
지는구나.

고맙다.
케이나.

알았어…
약속할게.

서…
선생님을…

사…
사실 전…

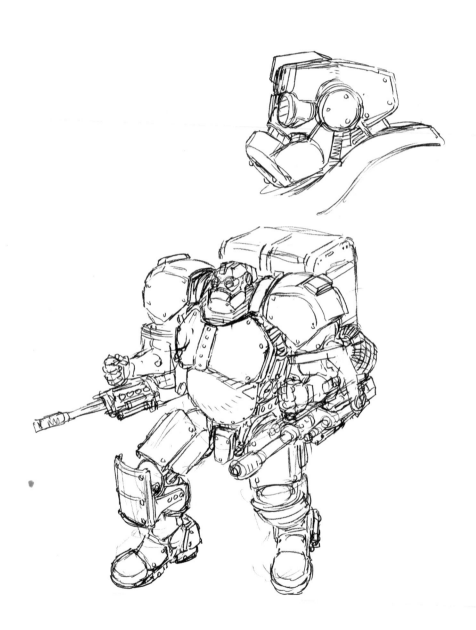

갈리 퀘스트 Ⅷ

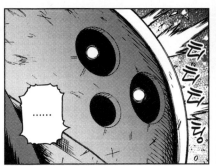

콜록,
콜록.

선생님!

노바가
아니다.

넌

으으읍
~!!

읍!

무슨
헛소리
를!

무....

?!

이거 완전히
나한테 용건이
있다는 눈빛이네.

살아남은
노바의
실험체…?!

너를
버리고
갈 수는
없어!!

안 돼,
케이나!!

선생님!
먼저
도망치세요!!

포기어!
이거
받아!!

저는 이곳에서
잠깐 처리할 일이
있어요!!

죽으면 안 된다!!

케이나…

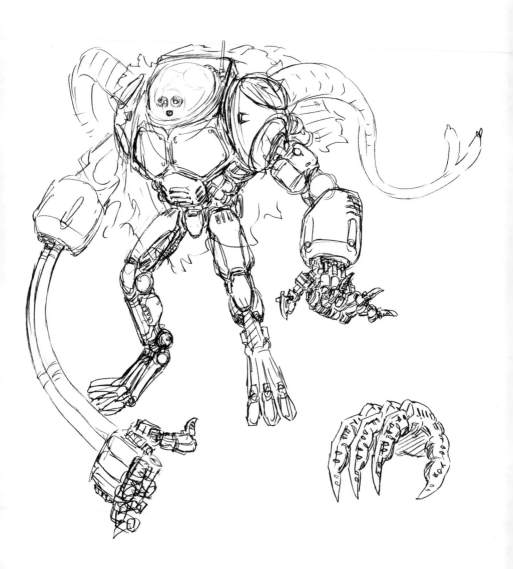

갈리 퀘스트 IX

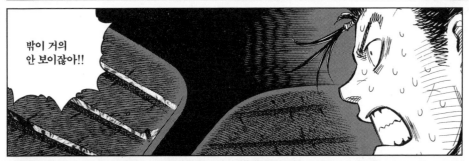

조심해요!!

엉덩이가 미끄러진닷!!

차가 엄청 무겁네...

이러다가 강에 빠지면 다 끝장입니다!!

혹시 모르니 일단 남하해서 추적자를 따돌리도록 하죠.

일라이 님과 합류하기로 한 장소는 동쪽으로 약 10km.

그래도 간신히 똑바로 달릴 수는 있게 됐군.

헉. 헉.

케이나를 봐두고 갈 수는 없어!!

제발 부탁이야, 돌아가자!!

당신 말야, 케이나의 심정을… 마음을 그렇게 모르겠어?!

아직도 그런 소리를…

211

쓰러뜨리진
못하더라도

이 높이에서
떨어뜨려
자해 밑에
묻어버린다면…!!

그래…
나를
쫓아와!!

아차!!

나… 나한테 무슨 원한이 있어서 이러는 거야…?!

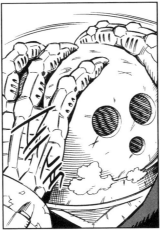

그… 그극…

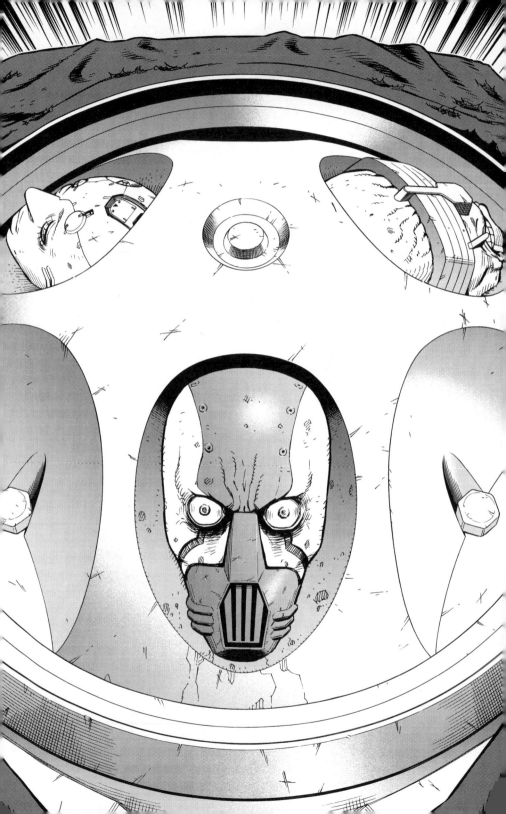

노바…
그리고 놈에게
협력한 인간들을
모조리 찾아내서
복수하겠어!!

우리 형제는
노바 때문에
이런 꼴이
되었다…!!

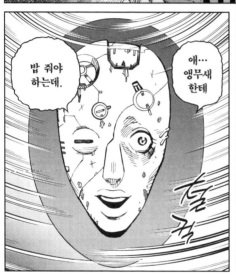

밥 줘야
하는데.

애…
앵무새
한테

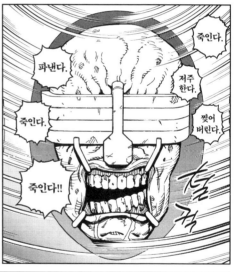

죽인다.

파낸다.

저주
한다.

죽인다.

찢어
버린다.

죽인다!!

그…
말은…

그…

이제야
기억났나?!

그후로 우리가
어떤 지옥을 겪었는지…
너는 상상도 못 하겠지.

내가 아니라서
다행이라고…
안심했다고…
그런 식으로밖에
생각하지
않았어…

나는…
실험재료가
된 사람들을
보고도
솔직히…

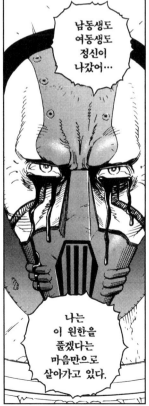

남동생도
여동생도
정신이
나갔어…

이건
벌일까…?!

나는
이 원한을
풀겠다는
마음만으로
살아가고 있다.

내가 과거를
없었던 일로
하려고 해서
벌이 내린 걸까…?!

용서해
줄래…

미안해…

그러고 나서
복수를 한다는
바보 같은
생각은 잊고
인간다운 삶을
되찾는 거야!

진짜 몸까지는
무리겠지만…
좀더 인간다운
모습으로.

하지만… 이도
선생님이라면
너희를
고칠 수
있을지도
몰라.

그 이도라는
의사놈도
다음에 만나면
죽여버리겠어!!

반드시!!

도…
동생아…?
어째서?!

아…
으…

웃기는 소리…
이제 와서
의사 따위를
누가 믿을 줄
알고…

하물며
자렘인
의사를…!!

그렇게까지
말한다면
내 진짜
마음을
알려줄게.

일단
간호사로서
도리는
지켰어…

그렇구나
…
아쉽네.

우직

우직

우직

히이익!
꺄아아아
아아!

기억을 잃은
이도 선생님을
이 마을에서
의사로 정착시킨
것도…

갈리가
찾아왔을 때
내쫓은 것도
전부 내 꿈을
위해서야!

너희가
죽건 말건
내 알 바
아냐!!

난 내 행복만
위해서
살고 있다고!!

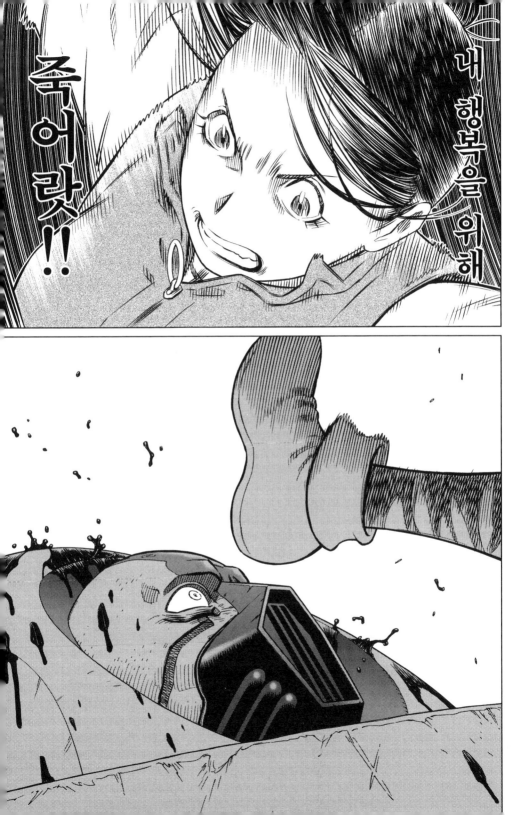

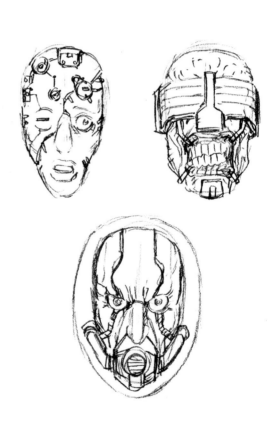

Phase_116
갈리 퀘스트 X

살면서 저걸
두 번씩이나
보게 되다니…!!

저
폭발은…!!

젠장…

케이나아
아아!!

그놈들,
원자력
보일러를…!!

이럴
수가
…

쌍둥이언덕
팜21에서 동쪽으로 약 10km 떨어진
장소. 케이나와 합류하기로 한 지점.

……

케이나
인가?!

아니…

뭔가가
온다!

흠…

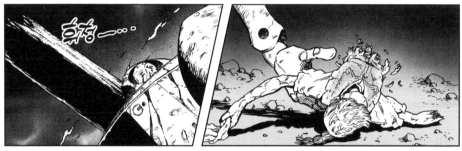

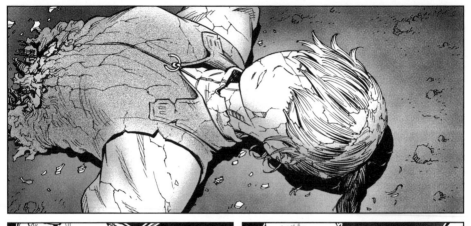

우리는
희생양이니까.

소용없어.

이래선
케이나를
볼 면목이
없잖아!

젠장…!
그 고생을
해가며
습격에서
살아남았는데…

그후에
우리는
이 마을에
들렀다가…

마을 의회에
끌려나와
심문당했다.

말도
안 되는 짓을
저질렀군,
스티드 씨.

그건
이도가
갈리에게
남긴
영상*이었다.

그는 노바에게서
'자렘인의 비밀'을
듣고서 스스로
기억을 소거하겠노라
말하고 있었다.

다시 말해
이도 선생과 노바는
별개의 인물!
이거면 확실해!!

어… 어지간히
갈리한테
친하게 군다는
느낌이 들긴
하지만…
"노바에게서
들었다"…

이건…
결정적인
증거라고
보기는
힘들군.

나는 노바가
아니었어…!!

다…
다행이야…

본인의
이야기
만으로는
영…

뭣이?!

기억을 되찾으면 가장 괴로운 사람은 분명 선생님일 텐데!

…역시 전 나쁜 아이인가보네요… 이런 상황에서도 제 생각만 하고…

저는 변함없이 응원할 거예요! 힘내세요!!

설령 기억을 되찾더라도! 뇌가 전자칩이어도 이도 선생님은 이도 선생님 이에요!

우리는
피해자라고!!

이런 웃기는
얘기가
어디 있어!

젠장!!

'노바는
죽었다'는 걸
기정사실화하고
싶은 거야.

그들은… 우리를
노바 일당으로
몰아
처형함으로써

받아들일 수
있냐고!!

이도 선생,
당신은
그걸로
만족하나?!

그들은
그게
두려운
거겠지.

노바를 원망하거나
숭배하는 자가
있는 한 제2, 제3의
팜21 사건이
일어날 테니까.

당연히 못
받아들이지.

그걸 생각하면 안심하고 죽을 수는 없어!!

내가 노바가 아니라면… '진짜 노바'가 지금 어딘가에 살아있을지도 모른다는 뜻이니까…

나도 갈리를 만날 때까진 절—대로 못 죽어!!

갈리 퀘스트 XI

이도
선생이…!!

누가 좀
와줘~!!

큰일이야~!!

엉?
뭐냐고?!

아~ 거
더럽게
성가시게
구네…

절그럭
절그럭

마을이 작던 시절에는 교수형으로 충분했지만…

공업화가 진행되고 사이보그 죄수들이 나오면서 사형 방법도 시행착오를 거듭했지.

그나저나… 내일 아침이면 처형당할 텐데…

사형 방법이 왜 총살인지 알고 싶겠지?

아니, 그다지…

온갖 방법을 시도해봤 지만…

죄다 확실성이 떨어지거나 인력과 비용이 너무 많이 들었거든…

뭐, 결국!!

전기의자.

참수.

로드롤러.

오체 분시.

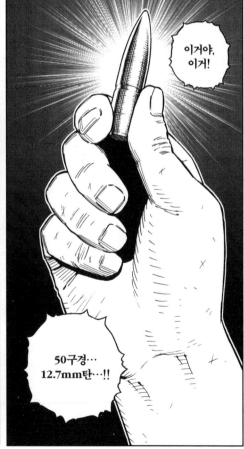

어떤 돌대가리든
물풍선처럼
퍼엉~ 하고
터뜨려버리지~!!

크윽!

그리고
피할 수 없는
죽음의 순간을
얌전히 기다리고
있으라고…
자신의 죄를
뉘우치면서!!

상상해!
열~심히
그 모습을
상상하란
말이다!!

우리는
우리가
맡은 임에
충실할
뿐이야.

유죄인지
무죄인지는
위에서
정하는
거고…

사형수는
다들
그런
소리를
하지.

우… 우리는
무죄야!!

싫어어어~!!

죽고 싶지
않다고오오~!!

난 무죄야~!!

이 얼간이
다음이
너희니까.

조금만
더 기다려.

끼아아아앙

능창

쪼요----옹

덜그럭 덜그럭

지금이다!!

저기로
끌려나가면
모든 게
끝이야.

기회는…
간수가 철창문을
열고 들어온
짧은 순간뿐…!

능숙하네…
꼭 컨베이어벨트
공장처럼…

처형장이
가깝잖아…

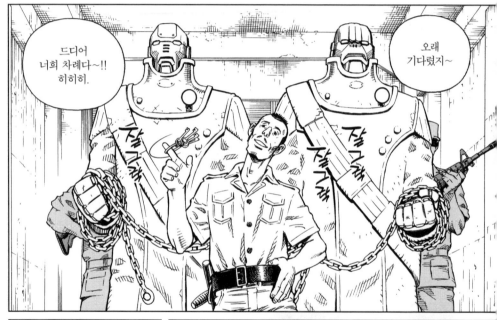

이쪽이야!!

부릉

게이야

자,
어서 타!

마음껏
써!!

고물차라
미안하지만

이건 안경점
주인이
선생한테
주는 거야.

도수가
들어간
고글이지!!

부릉 부릉 부릉

어째서 이런 위험까지 감수하면서 우리를…?!

고… 고맙긴 한데.

그 은혜에 비하면… 이 정도는 사소한 거야.

당신은 아무리 가난한 사람이 와도 외면하는 일이 없었어.

선생은 잊었을지도 모르지만…

나도 이 아이도 예전에 가족이 위험할 때 도움을 받았거든.

출발 한다!!

으엑, 들켰어!

찾았다, 이 자식들!

이 앞에 있는 큰길로 똑바로 달려!!

266

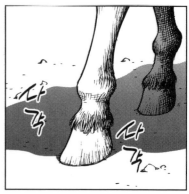

붐비고 말고
이전에…

부…

이래선
똑바로
달릴 수도
없잖아!!

우리가 지금 좀 급해서 말입니다! 길 좀 터주쇼!! 영감님! 미안한데

젠장! 클랙슨이 고장났어!!

소?!

으악!

음메ー

음메ー

쏴버린다!

어이, 거기 서!

차를 버리고 뛸까?!

크, 큰일 이다!

형무소 놈들이 손가락 하나 못 대게 할 테니까!

하하하, 걱정하지 말게, 형씨.

마차에 앞뒤로 끼었잖아 …?!

돈은 됐어, 그냥 받아가게!!

섭섭하게 무슨 소리야!!

이도 선생! 여행을 하려면 좋은 부츠를 신어야지!!

미안 하지만 돈이…

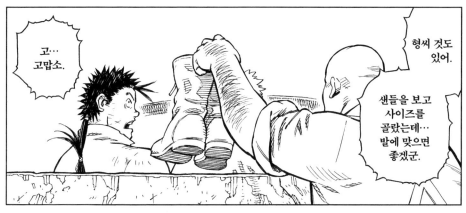

고…
고맙소.

형씨 것도
있어.

샌들을 보고
사이즈를
골랐는데…
발에 맞으면
좋겠군.

챙겨가!!

텐트랑
침낭이야!

이런 것밖에
줄 수
없지만…
받아
주겠나?

콩이랑
소금.

워~러~
(물)!!

다들 정말
고마워!!

고,
고마워!

사랑해요~♡

이도 선생님,
건강하세요~

꼭 퍼레이드
같은데!

고마워…

검문소다!

푸하아————…

……
……

푸하하하하하!!

푸…

부아앙

아…
너무하네…

솔직히 고백하자면 내내 당신을 도움이 안 되는 사람이라고 생각했거든.

이도 선생, 미안해.

선생이 이제까지 해온 일은 분명히 의미가 있었던 거야.

하지만 선생 '덕'을 제대로 봤어.

꼭 꿈이라도 꾸는 것 같잖아!

이게 다 뭐야~

갈리 퀘스트 XⅢ

1년 정도는 사람이 오간 흔적이 없어…

여기라면 뭔가 단서가 있을 줄 알았는데…

아니…

선생, 뭔가 떠오르는 건 없나?

머리를 어디에 찧어서 기억이 돌아올 가능성은?!

3년쯤 전이려나… 여기를 나간 게…

케이나랑 여기를 탈출했을 때의 일은 기억나지만… 그 이전의 기억은 여전히 떠오르지 않아.

'예전의 내'가
두뇌칩의 구조를
파악한 상태에서
기억을 소거했다면…
복원될 가능성은
전혀 없어.

하하하,
그런 일은
없을 거야.

살아
있을까.

노바는
죽었을까.

그런가…

그 남자는
살아있을
거야.

내
생각에

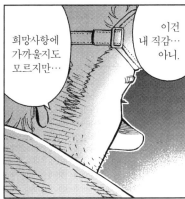

희망사항에
가까울지도
모르지만…

이건
내 직감…
아니.

왜 그렇게
생각하지?

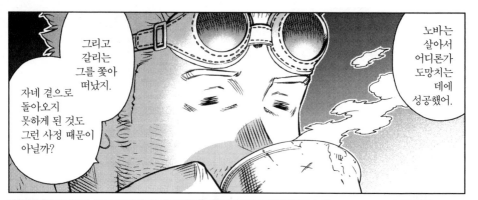

노바는 살아서 어디론가 도망치는 데에 성공했어.

그리고 갈리는 그를 쫓아 떠났지.

자네 곁으로 돌아오지 못하게 된 것도 그런 사정 때문이 아닐까?

이게 말로만 듣던 삼단논법이라는 건가~!!

역시 선생은 선생이네!!

거기까진 생각해 보지 못했어!!

오옷!!

!!

그는 반드시 인간의 생명을 가지고 논 죗값을 치러야 해…!!

만약 노바가 어딘가에 살아있다면…

이제까지
열심히
달려줘서
고맙다.

이…
이번에야말로
틀림없어.

갈리다!!

오늘밤!
우주 저 멀리서
고철마을의
운명을 건
격투가
벌어진다!!

방송은
바로 이곳
벡터
채널에서!

고철마을로
가자고!!

뭐해,
이도 선생!!

분위기
띄우려고
아무렇게나
갖다 붙인
말이겠지.

대체 무슨
뜻일까?

우주
저멀리…
라니.

어떤
아이
였지?

갈리는…

고철마을에
가보면
알 거야.

자네가 갈리의
어떤 면을
좋아했는지
문득
궁금해서…

선생도
만나봤잖아?

갑자기
그런 걸
왜 물어?

흠…
그거라면…

약
10분 후

Phase_119 갈리 퀘스트 XIII

이런 곳까지
건물의 잔해가
날려오다니.

생각보다
훨씬
심각한데…

갈리 퀘스트 XIII

고철마을 외곽

전력 소실과 함께 하이드로 월은
사라지고, 내지에서 도망쳐온
피난민으로 넘쳐나고 있다.

벡터상회 빌딩
견고한 구조 덕분에 붕괴를 면했기에
부지를 개방해 피난민의 임시 캠프로 쓰고 있다.

살아
있었군!!

다…
닥터?!

이거…
이도 선생
아닌가!!

고요미!
기억
못 하니?!

너 어릴 적에
기저귀까지 갈며
돌봐주신
분인데!!

아빠… 내가
꼴사나우니까
안에만 있으라고
했잖아!

나야… 나!
예전에
바 캔자스를
운영하던
월시라고!

302

아버지한테 너무하는 거 아니냐!!

흥!

주정뱅이는 텐트에서 잠이나 자라고 쫌!!

내가 케이어스요.

반갑소.

303

우리 모두가 갈리와 기묘한 인연으로 이어져 있는 것 같군.

당신도 갈리랑 아는 사이였나…

흐음…

이… 이럴 수가…

우주에는 또 어떻게 가야…

일단 이야기를 마지막까지 들어 주었으면 하는데…

뭐, 뭐라고!

우주?!

결론부터 말하자면… 갈리는 고철마을에 없소.

우주에 있지!!

자렘이
하강하면서 발생한
다운버스트*로
건물 대부분이
무너지고

보면 알겠지만
지금
이곳의 상황은
괴멸적이야.

자렘이
동요했다는 사실에
많은 주민들이
불안에 떨고 있지.

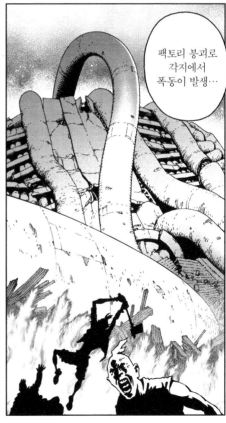

팩토리 붕괴로
각지에서
폭동이 발생…

*다운버스트(Downburst) : 재해를 일으킬 정도로 강력한 국지적인 하강기류.

그런 문제들을 해결하기 위해 나는 최대한 빨리

자렘… 그리고 그 위에 있는 우주도시 예루로 갈 생각이오!!

이미 부설 공사에 착수했지.

쓰레기 산의 경사면에 케이블카를 가설하는 거야.

하지만 어떻게…

자렘으로?!

당연히 우리도 가야지!!

그렇지, 선생?!

우와!! 자렘에 간다고?!

나도! 나도 갈래~!!

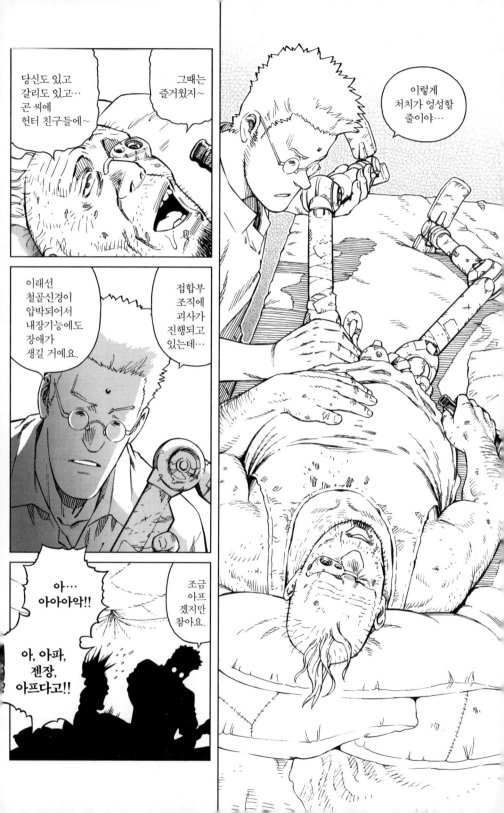

오일리스가의 폭동은 체인소단*을 투입해서 진화해.

로튼 핏의 화재 진화는 콜로서스*** 대원들을 쓰고.

그래, 상관없다.

원조물자 수송에는 모터볼러를 동원해.

녹청단** 과는 내가 이야기를 해두지.

그럴 생각이야.

그런데 케이어스. 그 둘을 자렘으로 데리고 가려고?

'위쪽'도 뭔가 난리가 난 모양이지만… 좋은 '선물'을 기대하고 있겠네!!

우주열강과 교섭하려면 갈리의 도움이 절대적으로 필요해.

갈리를 설득하는 데에 도움이 되는 사람들 이니까.

* 체인소단 : 전직 모터볼러로 세컨드 리그 챔피언이었던 아름브루스트가 조직한 자경단.
** 녹청단 : 고철마을의 갱 조직.
*** 콜로서스 : 벡터가 출자한 지하투기장 선수들의 호칭. 신장 4~20m의 사이보그이기에 '거상(Colossus)'이라고 불린다.

어떠냐, 멋있지?! 역시 캐터필러는 남자의 로망이라니까!!

헤헤… 닥터가 손을 써줬단다.

아빠, 그 다린 뭐야?!

웬일이래…

음… 술냄새가 안 나네…

베일에 싸인 자렘의 진실을 찍고 찍고 또 찍어와랏~!!

한 건 했구나, 고요미!! 『스크류헤드 타임즈』*의 특파원 으로서

왜 그리 기운이 없니?

응… 실은…

* 스크류헤드 타임즈(Screw Head Times) : 고철마을의 신문사. 이니셜은 SHT. 고요미는 '신 바잭 사건' 이후 전속 카메라맨으로 채용되었다. (『총몽 외전』, 「바잭의 노래」 참조).

개는 데리고
가면 안 돼!!

자렘
동행취재까진
허락하겠어…
하지만!

나도 개를
싫어하고.

고민할 필요가
뭐가 있니,
이름값을
올릴 좋은
기회인데.

그야
그렇지만
…

그런 일이
있었구나…

어쩌지!
차베스를
놔두고
갈 수는
없어~

어…

그동안
차베스는
아빠가
돌봐주마!

알겠다.
그럼…

이 인간을 과연 믿어도 될까…

너는 걱정 말고 위쪽 세상을 보고오렴.

하… 하지만.

내가 해야 할 일은 추억에 빠져 허우적대는 게 아니라… 모두의 쉼터를 만드는 게 아니냐고…

닥터한테 한소리 들었거든.

바 캔자스를 재건하겠다고 결심했단다.

죽은
사람은
돌아오지
않지만

너와 닥터 이도,
그리고 갈리가
돌아왔을 때…
다시 한번 느긋하게
시간을 보낼 수 있는
장소를…

그랬구나
…

이윽고 케이블카가 완성되어 자렘으로 떠나는 날이 되었다.

누굴 애 취급하고 있어!!

고요미~ 물은 잘 끓여서 마셔라!!

차베스~ 얌전하게 지내야 한다~

끼잉~

......

됐어.
그런 모습 보이면
기고만장해진단
말야!

아버지한테
작별인사
정도는
하지 그래?

츨
각

다녀올게요.

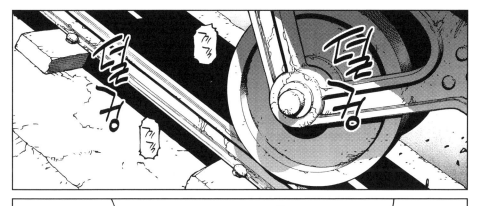

과거의 인간들은
대체 이런 걸
어떻게 만들었을까…
정말 놀라운걸.

으햐아~
끝내주네~!!

오랫동안
이어진
분단의 역사가
드디어
끝난다…!!

Phase_120 **갈리 퀘스트 XIV**

갈리 퀘스트 XIV

저곳에
노바가…!!

마음
단단히
먹어야
할 거야.

당신이
찾는 남자…
노바는
자렘에 있어.

한쪽으로
모이지 마,
그러다
탈선한다!!

우와앗!

기초가
무너지고
있어.

뭐…
뭐지?!

이도
선생?!

내
마음대로만
할 수도
없지…

나야
후다닥
우주로
올라가고
싶지만

아욱!

누가
대답 좀
해줘~!!

이봐!

* 고속도로 최면(Highway hypnosis) : 고속도로와 같은 단조로운 풍경이 이어질 때 의식이 저하되면서 반수면 상태에 빠지는 현상. 잠에서 깬 후에도 자각이 거의 없다는 것이 평범한 졸음운전과 다른 점이다.

이 잇자국은
사람 건데…

마치 메리 셀레스트호* 같군…

먹다 만 수프…

사이코메트리** 로도 아무것도 읽어낼 수가 없어…

이상해…

잠깐 쉬고 마지와 다른 사람들을 찾아보…

?!

다… 다들 어디로 갔지?!

* 메리 셀레스트호 : 1872년에 무인 상태로 표류하던 범선. 항해사 최대의 수수께끼 중 하나로 손꼽힌다. 후에 코난 도일이 이 사건을 소재로 소설을 써서 사건의 도시전설화에 공헌했다.
** 사이코메트리 : 물체와 접촉해 과거에 있었던 일을 읽어내는 케이어스의 특수능력.

노… 노바!!

캬하하하 하하!!

캬하하하 하하!!

아무도 마중나오지 않았다는 걸 눈치챈 시점에 공격을 경계해야 했는데…!!

바… 방심했어!!

태평하게 함정이 있는 곳에 기어들어 오다니…!!

너를 위해서 멋진 게임을 준비했답니다!

자렘에 잘 왔어요!

지잉

30

단순히 운으로만 진행되는 게임을 해줘야겠어요.

24

너는 모니터에 나오는 사람들의 목숨을 걸고

고요미!

이도 선생!

다들 어째서?!

룰은 간단합니다!
제한시간 내에
'구멍 버튼'을
선택해서 누르는
것뿐이니까.

'데스 체커'
라는
게임인데,

오예~!!
자렘은
내 거다~

치사하다,
게퍼!!

누가
할 줄
알고…

그… 그런
웃기지도
않는
게임을…

그럴 경우에
어떻게 될지…
실제로 한번
볼까요?

너한테는
'어떤 버튼도
누르지
않는다'는
선택지도
있어요.

게퍼어~!!

카하하하!

무… 무슨 짓이야!!

'지뢰 버튼'을 누르거나…

혹은 지금처럼 아무것도 누르지 않은 채 제한시간이 지나면… 누군가 한 명이 랜덤으로 죽게 되죠.

……!!

그 '누군가'에는 너 자신도 포함되어 있다는 사실을 잊지 마세요.

플레이어인 네가 죽으면 모두 다 죽는다는 사실도.

'구명 버튼'과
'지뢰 버튼'의
최초 비율은
8대8,
즉 50%.

여덟 명이
남았으니
총 여덟 번의
승부.

그럼…
'데스 체커'
시작!!

'구명'과
'지뢰' 버튼은
각각 누른 수만큼
줄어든답니다.

나한테는
사이코메트리가
있어…!!

진정해라…
진정해…

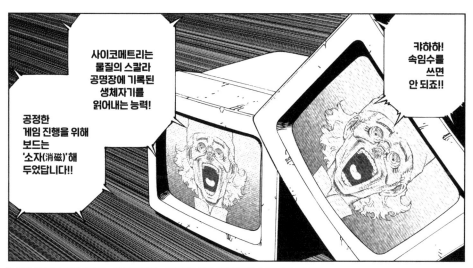

사이코메트리는
물질의 스칼라
공명장에 기록된
생체자기를
읽어내는 능력!

카햐하!
속임수를
쓰면
안 되죠!!

공정한
게임 진행을 위해
보드는
'소자(消磁)'해
두었답니다!!

시간이…

03

아…
아무 버튼
이라도…

늘려야
하는데…!!

뭔가
다른 수가…

자…
잠깐만…

구명 성공.

누구도 죽지 않았군요.

고작 한 번으로 이렇게 동요하다니.

앞일이 훤히 보이네요.

나머지 7회.

그럼 게임을 계속해보죠!!

갈리 퀘스트 XV

데스 체커 룰 설명

- 초기 상태에서는 버튼이 열여섯 개(베팅된 인원수×2).
- 그중 반이 '구멍 버튼'이고 반이 '지뢰 버튼'이다.
- '지뢰 버튼'을 누르면 누군가 한 명이 랜덤으로 죽는다.
- 제한시간 30초마다 버튼을 하나씩 눌러 총 여덟 번 생존하면 클리어(횟수는 베팅된 인원수와 같다).
- 제한시간 내에 버튼을 누르지 않으면 누군가 한 명이 죽는다.
- 플레이어(이번 게임에선 케이어스)가 죽으면 게임 오버가 되어 베팅된 전원이 죽는다.
- 체커 보드가 파괴되면 베팅된 전원이 죽는다.

버튼 배치는 매번 리셋되어 무작위로 바뀐다.

버튼은 '구멍', '지뢰' 어느 쪽이든 누른 수만큼 줄어든다.

베팅된 멤버

케이어스
(플레이어)

포키어

이도

고요미

조닌

조크스

데크맨 Σ

탱커

사이코메트리로 버튼의 내용을 읽어내지 못하도록 '소자(消磁)'되어 있다.

5×5의 체커 보드에는 최대 열두 명까지 베팅할 수 있다.
과거에 노바는 그라니트 인에서 200회 이상의 데스 체커 관찰실험을 실시했다.

어차피 데스 체커의 난수 발생장치는 방사성 물질에서 나오는 알파선을 이용하는 것으로, 노바의 의사가 개입되지 않기 때문에 사이코메트리를 쓸 수 있더라도 별다른 도움은 되지 않았을 것으로 추측된다.

케이어스,
3회전까지
사망자를
내지 않고
무사히
클리어!

문제는
여기부터야…

다음 4회전에서는
버튼 열세 개 중에
'지뢰'가 여덟,
'구멍'이 다섯…

구멍 확률은
약 38%…!!

이대로
게임을
계속하면…

운좋게
한 번도
'지뢰'를
누르지
않더라도

8회전의
버튼 비율은 8대1…
구명률은 11%까지
떨어진다!!

무리야…
말도 안 되는
게임이야…!!

너에게 이 게임의 노하우를 알려주겠어요.

데스 체커는 모든 사람을 살리려 하면 생존확률이 낮아지지만

'지뢰'를 적당히 밟으면 최종적으로는 생존률이 상승한답니다.

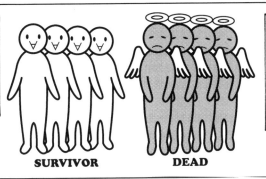

물론 의도적으로 '지뢰'를 선택할 수 없는 만큼 생각대로 된다는 보장도 없지만…

SURVIVOR

DEAD

구체적으로는 '지뢰'를 네 번 밟아 네 명을 죽게 하면 8회전의 생존률은 약 56%까지 올라가죠.

루…

이게 바로 이 게임에 최적인 사고방식 이에요!!

즉, 자신의 생존을 최우선에 놓고 '지뢰'를 밟아 사망자가 나오더라도 개의치 않는다.

변경…?! 룰…

멈칫

룰 변경을
요구한다!!

상관없는 사람을
살인 게임에
말려들게 하는 건
그만두라고…!!

당신이
노리는 건
어차피
나지?!

…
그렇다면

나와
승부하자!!
디스티
노바!!

당신과 나…
둘의
목숨만 걸고
게임을 하는 건
어때…

344

지상의 지도자가 되어 자렘에 오다니…

이건

얼마 전까지만 해도 음유시인 행세나 하며 방탕하게 지내던 아들이

이건 지도자로서의 자질을 시험하는 게임이기도 하죠.

데스 체커의 진짜 매력은 바로 타인의 목숨을 거는 데에 있답니다.

후후후… 뭘 모르는군요.

시험하지 않을 수가 없잖아요?!

'아버지' 로서

회심…? 글쎄요.

무슨 소린지 전혀 모르겠군요.

정말로 회심했다면 서로 협력할 수 있을 거라고 생각했는데…

너무나 유감이야.

당신이 갈리의 예루행을 도왔다는 말을 듣고…

유감이야 …

그리고 룰 변경을 원한다면!

네 제안은 받아들일 수 없지만⋯ 재미있는 대안이 하나 떠올랐네요!!

내 동위체*가 여럿 나타났기 때문에 행동방침을 조정하긴 했지만

내가 변한 게 아니라 어디까지나 변화한 상황에 대응했을 뿐이에요…!!

이름하여 '무자비 버튼'!!

• 내 동위체 : 여기서 노바가 말하는 동위체란 물리학의 아이소토프(Isotope)가 아니라 포터 노바나 슈퍼 노바와 같은 노바의 다른 버전들을 말한다. 『총몽 LO』 제61화 참조.

'너 외의 누군가가 랜덤으로 죽는 버튼'이지요!

무자비한 적색으로 빛나는 그것은 가시화된 '지뢰 버튼'!!

평범한 '지뢰'와 다른 점은,

…라고 …?!

나 외의 누군가 …?!

푸딩은 무자비!!

자, 4회전 시작!!

29

뒤집어 말하자면 네 안전은 보장되니 우발적인 게임 오버로 전멸당하는 상황은 확실하게 피할 수 있는 푸딩만큼 맛난 버튼이죠.

구명 확률
약 42%…

전보다
구명률이
상승했다고!!

멍청한 놈…!
무슨 수를 써서라도
내가 사람을 죽이는
꼴을 보고 싶은
모양이지만…

버튼의 수는
총 열세 개…
'무자비'를 제외하면
'지뢰' 7 '구명' 5…

잘 생각해…
침착하게…

아니…
자… 잠깐!

우리가
전멸한다는 건
노바의 악행을
저지할 사람이
없어진다는 뜻…!!

만약
'지뢰'를 눌러서
운 나쁘게
내가 걸리면…
나 혼자
죽는 걸로
끝나지 않아.

게임 오버는
모두의
죽음을 뜻한다!

그라니트 인의
공포가 지구 전역에
퍼지는 사태는
무슨 수를
써서라도
막아야 해…!!

노바가
이 타이밍에
행동을
일으킨 데엔
의미가 있어…

예루가
약해진 틈을 타
자렘을 강탈하고
지상을 통째로
실험장으로 삼을
속셈이겠지.

수단과 방법을
안 가리고
살아남는 수밖에…!

만에
하나라는
가능성도
있잖아…

아니,
잠깐…
만에
하니…

내 생사를
하늘에 맡기고
버튼을 눌러도
게임 오버가 될
확률은 고작
7.3%라고…

아니, 잠깐…
왜 누군가를
버린다는 걸
전제로
생각하고
있지…

그렇다면
모두가 살 수 있는
42%의 가능성에
희망을 걸어야
하지 않나!!

만약… 나머지
다섯 번 전부
'무자비 버튼'을
누르면…

나를 포함한
세 명은 확실하게
생존할 수 있어…!!

그런 숫자에 정말로 목숨을 맡겨도 될까?!

확률 따위는 역시 탁상공론…

현실에는 확률적으로 있을 수 없는 일들이 수시로 일어난다고…

이 버튼에 주저하는 나는…

지도자로서 미숙하다는 뜻인가?!

확실한 생존을 선택한다…

소수의 생명을 버리고

너는
언제나
나를
실망시키는
군요.

케이어스…
마이 선.

'지뢰'
랍니다.

안타깝지만
네가 누른 건

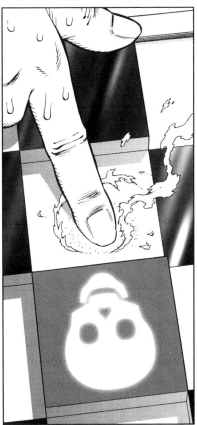

데구르르

으아아
악~!

푸
냑

이도 군이
죽었네요.

저 친구와는
다시 한번
대화를 나눠보고
싶었는데…

으아아아
아아~

이건 내 안이함에 대한 벌이자

동료의 목숨을 빼앗았다는 사실에 대한 책임…

대체 무슨 짓을?!

?!

확실하게 살아남겠어!!

이제 망설일 필요는 없다.

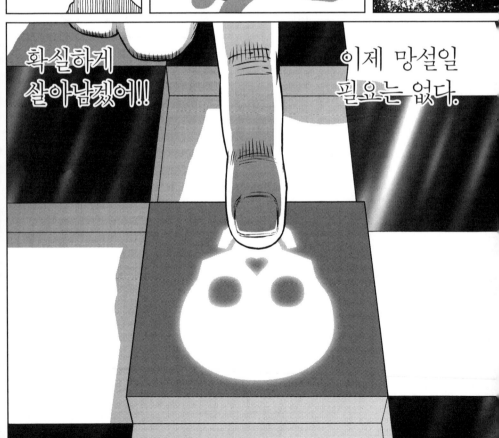

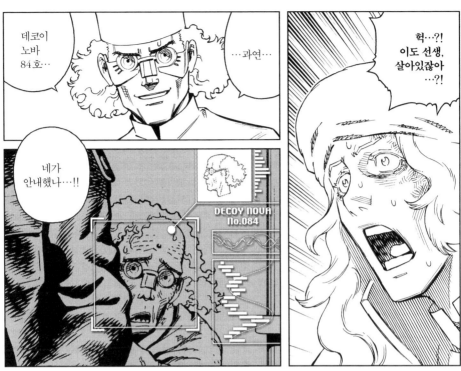

데코이 노바 84호…

…과연…

헉…?!
이도 선생,
살아있잖아
…?!

네가
안내했나…!!

DECOY NOVA
No.084

자신의
클론들에게
지독한 짓을
하고 있더군.

이야기는
이 데코이
노바에게
전부
들었다.

지능을
평균 이하로
억제한 열화판…

데코이 노바는
분명히
내 복제지만

* 데코이가 발생 : 노바는 자신이 죽는 경우에 대비해 나노머신 기술로 '스테레오토미'라는 장치를 마련해두었다. 하지만 노라와 친구들이 '노바 사냥'을 시작하면서 위장용 데코이 노바도 재생하도록 시스템을 수정했다. 『총몽 LO』 제56화 참조.

오~ 그 이상 다가오면 곤란해요!

내가 이 키를 누르면…

게임 오버가 되어서 전원…

사…

갈리 퀘스트 XVI

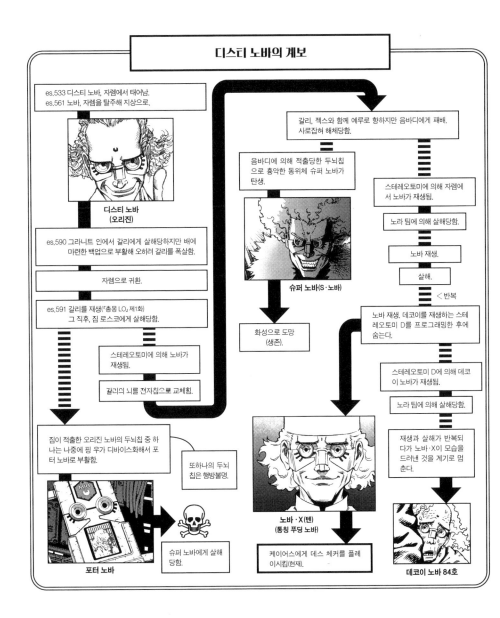

디스티 노바의 계보

es.533 디스티 노바, 자렘에서 태어남.
es.561 노바, 자렘을 탈주해 지상으로.

디스티 노바
(오리진)

es.590 그라니트 인에서 갈리에게 살해당하지만 배에 마련한 백업으로 부활해 오히려 갈리를 폭살함.

자렘으로 귀환.

es.591 갈리를 재생(「총몽 LO」 제1화)
그 직후, 짐 로스코에게 살해당함.

스테레오토미에 의해 노바가 재생됨.

갈리의 뇌를 전자칩으로 교체함.

짐이 적출한 오리진 노바의 두뇌칩 중 하나는 나중에 핑 우가 디바이스화해서 포터 노바로 부활함.

또하나의 두뇌칩은 행방불명.

포터 노바

슈퍼 노바에게 살해당함.

갈리, 젝스와 함께 예루로 향하지만 음바디에게 패배. 사로잡혀 해체당함.

음바디에 의해 적출당한 두뇌칩으로 흉악한 동위체 슈퍼 노바가 탄생.

슈퍼 노바(S·노바)

화성으로 도망
(생존).

노바·X(텐)
(통칭 푸딩 노바)

케이어스에게 데스 체커를 플레이시킴(현재).

스테레오토미에 의해 자렘에서 노바가 재생됨.

노라 팀에 의해 살해당함.

노바 재생.

살해.

< 반복

노바 재생. 데코이를 재생하는 스테레오토미 D를 프로그래밍한 후에 숨는다.

스테레오토미 D에 의해 데코이 노바가 재생됨.

노라 팀에 의해 살해당함.

재생과 살해가 반복되다가 노바·X이 모습을 드러낸 것을 계기로 멈춘다.

데코이 노바 84호

하지만…

게다가 체내의 '리스토어러'로 외상도 금세 복구되어 버리고 말야.

'스테레오토미'… 노바는 공기에 섞인 나노머신 재생 시스템을 통해

죽어도 무한 재생한다고 했지.

히이이이 ~!!

결손 조직을 재생하는 데에 조금은 시간이 걸릴 거야.

이렇게 파쇄해 버리면…

그…
그렇군…

데스 체커의
시스템은
이미 정지
시켰으니까.

안심해,
케이어스.

나는 스스로
생각했던 것보다
훨씬 잔혹한
인간이었던
모양이야.

그건
그렇고

이 해머…

이상할
정도로
손에 익어…

기억을
잃기 전에
대장장이라도
했던 걸까?

끄아아 아악!

그렇진 않은가 보군요.

그 코트 차림과 해머…

완전히 예전 기억을 되찾은 줄 알았더니…

회복이 빠르군.

벌써 말할 수 있다니.

그… 그 코트는 내가 준비한 거야!

마지 씨 일행… 그리고 살아남은 자렘의 아이들은 어디에 있지?!

이도 선생, 잠깐만 기다려줘! 노바! 묻고 싶은 게 있다.

화학실험용 원형질 수프로 환원됐답니다!

그 사람들이라면 분자 샘플링 데이터를 채취한 후에…

아이들까지…
전부 다
죽일 줄이야…!!

무슨
짓을…!!

꽝

그 사람들이
내 계획을 방해하지
못하게 일시적으로
사라지게 했을 뿐…

아니…
뭔가
오해하는
모양인데,

'스테레오
토미'와 같은
재생기술을
쓴다는
소린가…?!

육체는 물론이고
샘플링
시점까지의 기억…
입고 있던 옷까지
완벽하게!

모두의
샘플링 데이터가
있으니 언제든지
재생할 수
있어요.

사람을
녹음
테이프라도
되는 것처럼
생각하는군
…

무서운
남자야…

그런 기술을
가지고 있다면
인간의 생사에
무관심해지는 것도
무리가 아니지.

푸딩은
추억
…!!

이도 군…
예전 기억을
되찾고 싶은
마음은 없나요?

하지만
내 '동위체'가
다른 접근법으로
연구를 발전시켜
나가겠지요…

아무래도
노바·X의
루트와 플랜은
여기까지인
모양이네요.

업자역학 이론을 기반으로 뉴런모델을 재구축해… 그것으로 이도라는 인간을 재조립했죠…

11년 전… 당신은 한 번 자팡에게 살해된 적이 있답니다…

그때 산산조각난 두뇌칩을 내가 일일이 핀셋으로 모아…

뭐라고 …?!

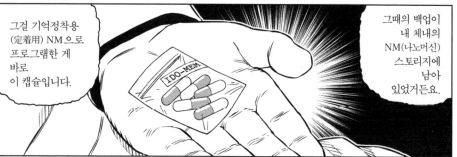

그걸 기억정착용(定着用) NM으로 프로그램한 게 바로 이 캡슐입니다.

그때의 백업이 내 체내의 NM(나노머신) 스토리지에 남아 있었거든요.

내 저택에서 불의의 죽음을 맞을 때까지의 기억이… 이 안에 있답니다.

당신이 자렘인으로 태어나고 갈리와 함께 살다가…

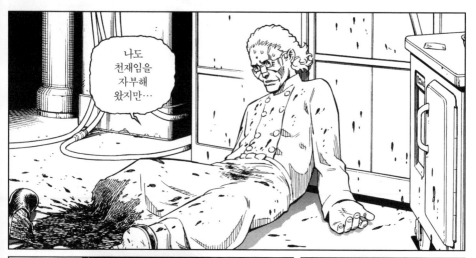

나는 지난
몇 주 동안
예루의
아카이브를
크래킹해서
이 칩의 설계자를
특정하는 데에
성공했습니다.

그런데도
우주세계의
역사에는
그 이름이
전혀 남아 있지
않아요…

누구라고
생각하나요?

우리
자렘인의
머릿속에
있는
두뇌칩…

자그마치
200년 전에
인간의
두뇌 활동을
완벽히 재현한
이 작은 칩을
설계한
인물이야말로…

진정한
천재라고
말할 수
있겠지요…

두뇌칩의
설계자는
놀랍게도…

멜키체덱
이었답니다.

만약 멜키체덱이
축적한 이 정보에
액세스할 수
있다면…!!

내 업자역학은
일거에
진전을…!!

그런
사소한
문제는
알 바
아니에요!

요점은
멜키체덱은
인간이
인식 가능한 양을
아득히 뛰어넘는
정보를…

'우주의 진리'라고
말해도 될 만한
정보를
축적하고 있고…
게다가 그 중요성을
눈치챈 자가
거의 없다는 겁니다!!

쿠궁

하고
싶은 말이
뭔지
잘 모르겠
는데.

거대 컴퓨터가
두뇌칩으로
인간을 지배하고
있다는 소리라도
하는 건가?

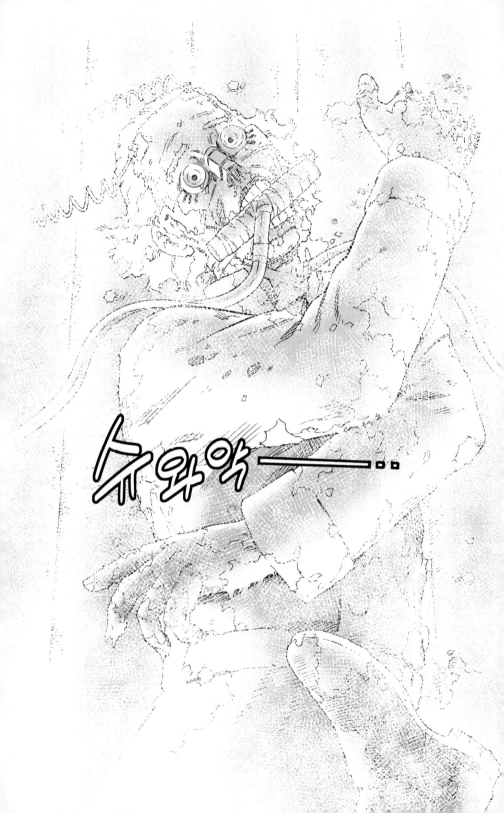

이제 '스테레오토미'에 의해 무한 재생하는 일은 없을 것이다.

생명을 유지한 상태에서 엄중하게 저온 봉인.

재생에 엿새나 걸리는 '스테레오토미'와 달리 의료감찰국의 설비를 활용한 재생 시스템은 단시간에 많은 인원을 재생할 수 있었다.

그후에 나와 케이어스는 데코이의 협력으로 마지를 비롯한 자렘의 생존자를 재생하기 시작했다.

자렘 공원에서 배를 곯고 있던 포기어와 고요미가 모였을 쯤…

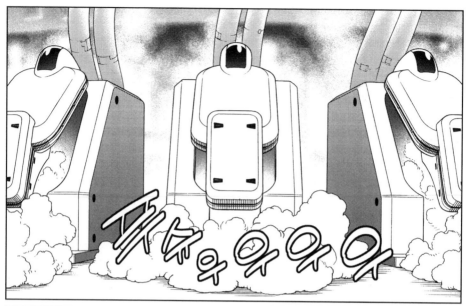

내 수프가
사라졌어~!!

으아앙

어어?!
여긴
어디지?!

사이보그
라고,
이놈들아
!

말이 되는
소리를
해라~!!

눈에서
빔 쏴봐~!

우왓,
로봇이다!!

으음?!
탱커는
어디로
갔지?!

노바는
우리도
샘플링하고
있었기에
그도 무사히
재생했다.

일시적이나마
'살해됐었다'는
사실은
우리의 가슴속에
묻어두기로 했다.

그들에게는
노바에 의해
'잠들어 있었다'
라고만
설명하고

케이어스는
과로로 쓰러져
사흘간
안정을 취해야
했다.

꺄아~
괜찮아요?!

바틀~...

그거
괜찮은데!
자렘은
당신이 태어난
고향이잖아?

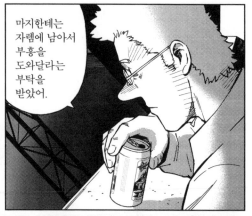

마지한테는
자렘에 남아서
부흥을
도와달라는
부탁을
받았어.

지상에
빛이
돌아오고
있어…

그래.
괜찮은
제안이긴
하지…

그 엔지니어 남매는
환영 파티 때도
도중에 빠져나와
일하러 갈
정도였으니까.

조크스 남매가
자렘에서의
전력공급을
복구했나보네.

대단한
사람들이지.

케이어스도 컨디션을 회복했으니 내일이라도 예루로 떠난다고 하더군.

나도 우주로 갈 거야!

갈리가 기다리고 있으니까!!

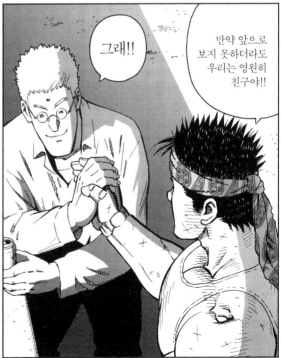

그래!!

만약 앞으로 보지 못하더라도 우리는 영원히 친구야!!

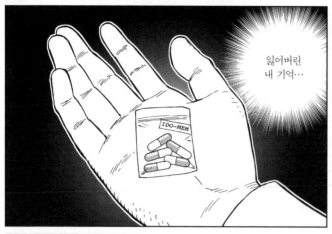

잃어버린
내 기억…

사이코메트리로
알아낼 수 있는
범위에선
노바의 과거 행동에
수상한 부분은
없는 것 같아…

……

나는
버리는
쪽을
추천하네.

어떤 부작용이나
함정이 있을지
예측할 수 없으니까.

복용한 후에
체내에서
분해되는
나노머신인
모양이야.

물건 자체는
노바의
설명대로
인 것
같은데…

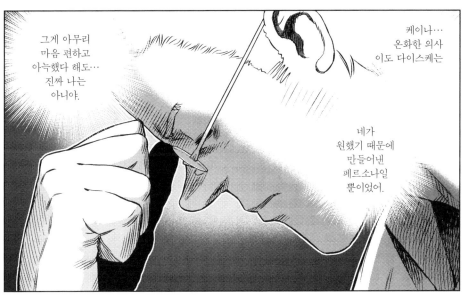

케이나…
온화한 의사
이도 다이스케는

그게 아무리
마음 편하고
아늑했다 해도…
진짜 나는
아니야.

네가
원했기 때문에
만들어낸
페르소나일
뿐이었어.

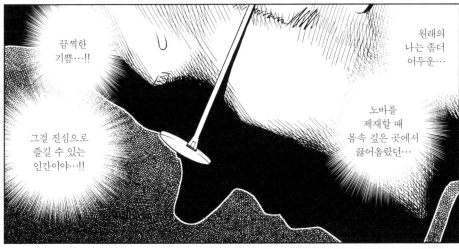

끔찍한
기쁨…!!

그걸 진심으로
즐길 수 있는
인간이야…!!

원래의
나는 좀더
어두운…

노바를
제재할 때
몸속 깊은 곳에서
끓어올랐던…

자아를 잃지
말아주세요!!

앞으로 어떤
참혹한 현실이
기다리고
있더라도…

설령 그게
눈을 돌리고 싶은
본성이라 해도

안녕,
케이나.

나는
원래의 나를
되찾아야겠어.

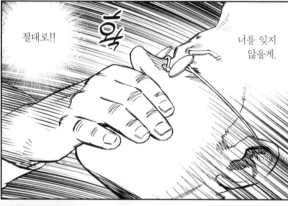

절대로!!

훅

너를 잊지
않을게.

다음날
궤도 엘리베이터
1층 탑승 게이트 앞

빨리
와야 해.

한동안
자리를
비울 테니
그동안 잘
부탁한다.

잘
부탁하네.

우리는
여기에
남아서
인프라 복구
작업을 계속
하겠습니다.

그래!!

자네와 갈리의
재회를
지켜보고
싶어졌거든.

이도
선생!

나도
가겠어.

갈리 퀘스트 XⅢ

꺄하하! 몸이 가볍다아~!!

헛디디지 않게 조심해.

윽... 공기가 탁해...

슬금슬금...

당신들은 누구야?! 곤란한데.

앗! 사람이 있어!!

로봇님들께서 다스리시는 도시거든!!

예루는 이미 인간의 도시가 아니야.

다 그쪽을 생각해서 하는 소리야. 돌아가도록 해.

혹시 지상에서 왔나?! 곤란한데.

어째서?!

이 도시의 대표를 만나고 싶소.

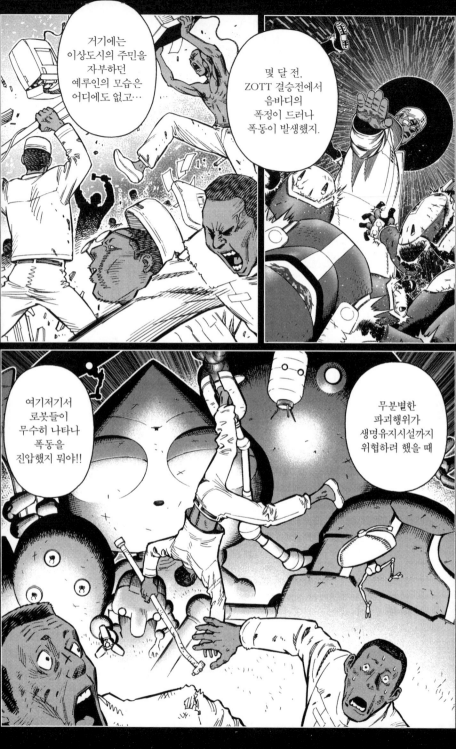

예루의 통치권을
로봇의 왕 란다·
나무나무에게
위양하게 되었어.

그리고
우리에게
통치능력이
없다는 것을
인정하고…

제정신을 차린
우리는 스스로의
행동에 깊은
수치심을
느꼈지…

하지만
당신들은
그걸로
만족하나?!

나한테는
고철마을도
자렘도 눈이
뒤집힐 정도로
엄청난
도시였으니

멋지
다아~
꼭 SF
같아!!

이제 와서
로봇마을
정도로는
놀랍지도
않아!

로봇에게
영광 있으라!
그들의
백성에게
축복 있으라!!

이제까지
그들의 존재를
무시해온 게
더 이상했어!

우리가 생활하는
바닥도 벽도 천장도
물도 공기도
기밀장치도 전부
로봇들이 쉬지 않고
정비해주는 덕에
유지되는데…

삐~!
뿌뿌삐
까삐!!

음, 그렇다면
로봇의 왕
란다·나무나무와
만나게 해주게.

말했잖아!
그런 건
곤란하다
니까!!

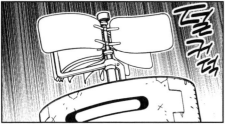

죄송합니다,
곧바로
쫓아내겠
습니다!!

삐까~!!

히이익!

뭐하는
짓이야!

로봇에게 객을 대하는 예법을 잠시 알려줘야겠군.

사이코메트리를 썼지만 칼에서 아무런 정보도 읽어내지 못한 것이다!

?!

그 직후, 케이어스는 중대한 문제를 깨달았다.

무거워…

곧바로 축 늘어지는 케이어스!!

게퍼와 함께 파괴되었다가 재생된 일본도에는 생체자기정보가 남지 않았기 때문이다!

케이어스는 먼 옛날 일본 검호의 스킬을 사이코메트리로 읽어내 재현했을 뿐이니 이렇게 되면 무거운 쇳덩이를 든 평범한 인간일 뿐!!

당신들,
정말로
안 좋은
타이밍에
온 거야.

지금 뭔가가
내 손목을
잡았는데?!

대체
뭐지?!

사,
살았다아
~

심령사진
찍어도
되나요?!

우주 유령
이신가요
~

비나이다~

비나이다~

나는
귀신이랑
파는 정말
질색이야.

나는
귀신도
아니고
파도
아니야.

위쪽에서 주워왔죠.

응? 저 녀석들은 뭐냐.

미안해요, 셔틀 확보에는 실패했어요.

역시 무리였구나…

영감님, 혹시 갈리가 어디에 있는지 아십니까?!

허허… 거참… 갈리를 찾아 지상에서 왔다니…

그 아이의 힘이 있다면 지금 예루의 혼란도 간단히 수습할 수 있을 텐데…

아쉽게도… 우리는 결승전의 혼란 속에서 뿔뿔이 흩어져 버렸어.

그후에는 갈리의 소식을 듣지 못했구나.

나란다·나무나무가 왕위를 되찾는 데에 도움을 준다면 너희에게 협력하겠다고 약속하마.

나무나무나무

현재 로봇의 왕으로 군림하는 '헤카톤'의 방식으로는 조만간 인간의 반발을 사서

로봇들이 일소당할 것이니라.

습격으로 파괴됐지만 내가 두뇌만 회수해서 수리했지.

이게 나무 나무 …

없는 재료를 긁어모아 간신히 만든 것치고는 완성도가 나쁘지 않아.

마지막 조정만 남았어요~

그건 이제 쓸 수 있어?

저기~
무슨 소리인지
잘 모르겠는데
설명 부탁해도
될까?

그때부턴
돌이킬 수
없다는
거네요.

하지만
이 녀석을
기동시키려면
전력이 많이
필요하거든.

쓰면 분명히
다른
로봇들에게
발각될 게야.

그러고 보니…
녀석은
갈리에 대해
뭔가 아는
끾새였는데…

맞아요,
그랬죠~

이제부터
로봇의 왕이
있는 곳으로
쳐들어가겠
다는 거야!

간단히
말하면

나도
돕겠어!!

그 말을
들었으니
가만히
있을 수
없지.

추…
춥드…
드드…

대체
우리를
어디로
데려가려는
거지…?

아,
알았어.

큰일인데,
저체온증
징후가
있어!

제너레이터의
열기로
몸을 덥혀줘!

침입자를 연행해 왔습니다!

왕이시여, 명령하신 대로

사형! 사형이 최고지!!

저기저기, 왕! 침입자라는데 어쩔까?

쮸!!

나는 불손한 로봇의 왕 헤카톤*!!

100

* 헤카톤 : 그리스어로 숫자 100을 뜻한다.

MCUBATO

Final Phase

갈리 퀘스트 XⅧ

자렘인은 뇌가 칩이라서 로봇이 비슷한 부류로 생각하는 것 같아…

왜 우리만 풀어줬을까?

어째서 이런 짓을 하고 있는지 이유를 알려주지 않겠나?

100호… 아니, 헤카톤 왕.

왜 사형을 안 내리는 거야, 시시하게~

저기에 있는 선글래스쟁이나 갖고 놀자!!

지금도 갈리 님의 충실한 부하다쮸…!!

으으… 100호는…

그런데 어째서 이런 곳에서 왕 노릇을 하고 있지?!

넌 갈리와 함께 우주로 갔잖아.

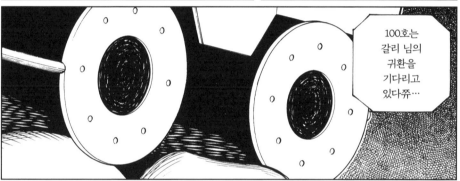

100호는 갈리 님의 귀환을 기다리고 있다쮸…

너한테 부탁할 일이 있어.

새로 만든 애송이의 보디는 소형이긴 해도 피지로이 보디니까…

평범한 사이보그 서른 놈에 맞먹는 에너지를 품고 있지!!

우와~ 끝내주네~

단단히 혼쭐을 내줘야 겠구먼.

이것들도 참… 기껏 보디를 고쳐줬더니 은혜를 원수로 갚을 줄은…

투덜대지 마라.

이 망할 영감…

풀사이즈인 네가 날뛰면 에루가 통째로 박살날 수도 있어.

헤카톤 왕이여.

7호 배양조
BFM 재구축
32%.

5호
배양조
DNA 분석
87%.

3호
배양조
캘리브레
이션 중.

이도 선생.
정말정말
고맙다쮸.

9호 배양조
출력 완료.
최종 공정.

426

일의 진상은 이렇다.

순조로운 모양이네.

선생이 중재해주지 않았다면 100호는 지금쯤 해체되었을 거다쮸.

그들은 정치적으로 불리한 그 장치를 역사의 그늘에 묻어버리려는 시도를 하고…

인간과 대립하고 싶지 않았던 란다·나무나무도 거기에 반대하지 않았다.

폭동이 종식되고 음바디의 위법행위가 하나씩 밝혀지는 도중에 인큐베이터*의 존재도 지구궤도연합체 상층부에 알려지게 되었다.

INCUBATOR

뒷일은 달의 지구궤도연합체 의회에 교섭하러 간 케이어스와 마지의 활약에 맡길 수밖에.

예루에는 평온이 돌아왔지만 로봇과 인간… 지상과 우주세계의 공존에는 많은 문제가 남아 있다.

100호는 거기에 조바심을 느끼고 엘프와 츠빌프의 협력을 얻어 쿠데타를 결행… 했다는 것이다.

• 인큐베이터 : 이니시에이션으로 적출된 자렘인의 뇌 이만 개를 연결한 장치. 예루의 치안 시스템으로 이용되고 있었다. 『총몽 LO』 제15화 참조.

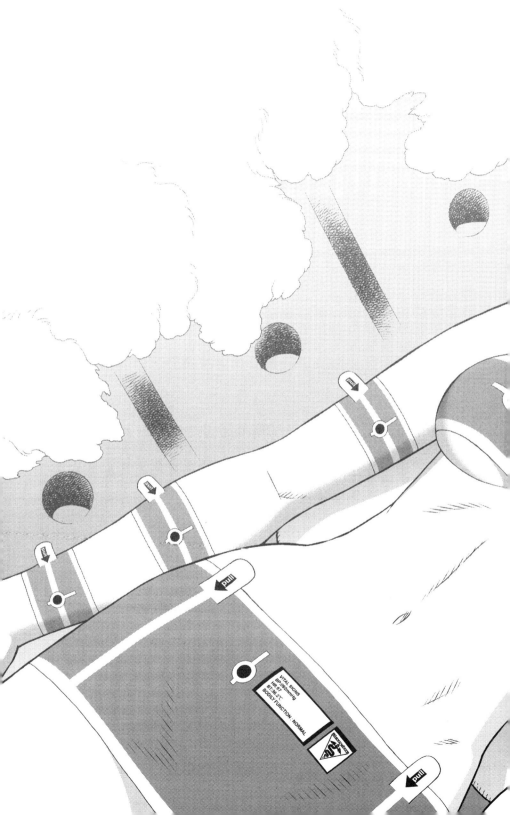

또 한 명의
갈리…

너는 지금
어디에…

포기어…
갈리…

축하해.

100호는
주인님과
한 약속을
지켰다쮸…

지금도
어딘가에서
혼자 떠돌고
있다쮸…

하지만
100호의
진짜
주인님은…

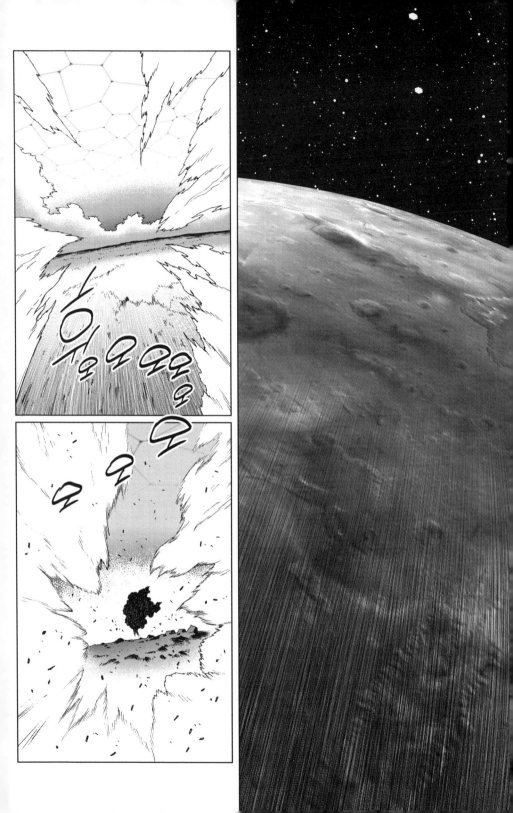

■『총몽 LastOrder』완결

포기어의 여행 - 『총몽』 지상 세계지도

es.590의 지구.

es.55에 거대 운석 익스첼의 낙하로 발생한 '충돌의 겨울'을 겪으며 지구는 크게 변모했다. 기후 변동과 해면 상승으로 육지의 해안선은 현재와는 큰 차이가 있다.

고철마을 / 자렘
SCRAP TOWN

아서 파렐이 통치하던 시대에는 스타시티로 불렸다. 현재의 캔자스시티 근처.

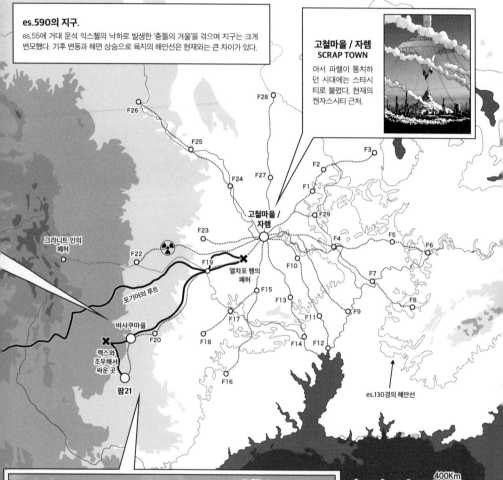

그라니트 인의 폐허

F26
F28
F25
F24
F27
F3
F2
F1
F29
F4
F5
F6
F23
고철마을 / 자렘
F22
F19
열차포 행의 폐허
F10
F7
F8
포기어의 루트
F15
F13
F9
바샤쿠마을
F17
F11
F20
F18
F14
F12
젝스와 조우해서 싸운 곳
F16
팜21

es.130경의 해안선

400Km

-------- 팩토리 철도

팜21 / 이도 진료소
FARM21

팜21은 대륙 전체에 퍼진 스물아홉 군데의 팩토리 공영농장 중 하나였지만, es.585에 바잭에 의해 정복되어 해방농장이 되었다. es.590에 바잭의 난이 진압된 후에는 자유교역농장이 되었지만 독자적인 방위조직의 부재가 비극을 불렀다.
es.588경에 이도가 진료소를 개업.
고철마을 밖에는 실력 있는 사이버네틱 의사가 얼마 없기 때문에 평판이 상당히 좋았다.

바샤쿠마을
BARJACK TOWN

es.585, 훗날 자렘 / 팩토리 체제에 반기를 드는 '덴'이 근처 야적
이나 운송업자를 하나로 모으고 교역상인의 협력을 얻어, 강가
의 작은 중계지에 불과했던 장소에 마을을 건설하고 바샤쿠마을
이라는 이름을 붙였다.
대규모 발전소, 제철소, 각종 공장을 보유하고 있으며 팩토리의
지배를 받지 않는 대륙 최초의 공업도시다.
바잭군의 병기, 총기와 탄약, 사이보그 부품, 덴의 거대 보디, 열
차포 헹 등이 여기에서 생산되었다.
바잭 해산 후에는 몇몇 유력한 교역상이 통치중이다.
팜21 습격을 꾸민 스티드 씨도 그중 하나.

알함브라

어촌 알함브라
ALHAMBRA

알함보라는 서해안에 위치한 인구 300명 정도의 작은 마을
이다. 팩토리의 지배를 받지 않으며, 이업을 톰한 자급자족
과 가끔 내륙에서 방문하는 교역상과의 소소한 거래로 생활
을 이어가고 있다. 주변에 비슷한 마을이 흩어져 있다.

로스만

포기어의 여행은 아직 끝나지 않았다…

인체재생장치

『총몽』의 세계에는 다양한 인체재생장치가 등장한다.
각각의 특징과 구조를 확인해보자.

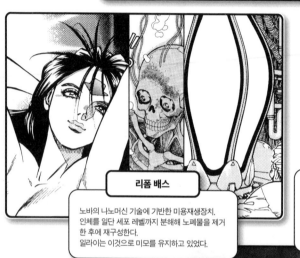

리폼 배스

노바의 나노머신 기술에 기반한 미용재생장치.
인체를 일단 세포 레벨까지 분해해 노폐물을 제거
한 후에 재구성한다.
일라이는 이것으로 미모를 유지하고 있었다.

데데킨트식 클론 재생

「성야곡」에서는 자렘인 의사 데데킨트가 사용하
는 재생의료장치가 등장했다.
사이보그의 DNA로 클론체를 만든 후에 외과수
술로 사이보그를 인체로 되돌리는 방식.

MIB 재생 시스템

'스테레오토미'와 같은 나노머신 재생기술을 응용
해 샘플링된 생물이나 물체를 분자 레벨에서 재구
성하는 장치. 노바가 의료감찰국의 설비를 활용·개
조해 만들었다. 구성 재료는 미리 준비되어 있기 때
문에 인체는 세 시간 정도면 재생할 수 있다.

스테레오토미 재생고치

노바 전용 자동재생 시스템. 자렘의 공기에 섞여 있는 나노머신 '스테레오토미'가 노
바의 사망 신호 분자를 캐치하면 자동적으로 재생을 시작한다. 주위에서 재료를 모아
야 하기에 재생에는 엿새가 걸린다. 노바는 샘플링된 시점의 데이터 그대로, 육체·기
억·복장은 물론이고 장비까지 충실하게 재생된다.

샘플링의 수수께끼!!

노바는 우리를 은근슬쩍 샘플링했다는 게 되는데…

대체 어느 틈에 샘플링을 당한 거지?

기억을 더듬어 보자고.

더스트 체임버

뭘 좀 아는군.

앗! 푸딩이다!

마음껏 드세요 ↓

동도

정말 모르겠군.

샘푸딩 완료!!

…전혀 짚이는 구석이 없는데?

맛좋다~

비오비브르 바이오프린터

금성 비오비브르사에서 제작한 생체 프린터. 나노머신 기술을 일절 사용하지 않기 때문에 LADDER조약에는 저촉되지 않는다.
괴사조직편에서 DNA를 추출·해석해 세포 잉크를 배양한 후에 생체조직을 적층 인쇄한다.
다른 방식에 비해 각종 파라미터를 세밀하게 조절할 수 있다는 장점을 지닌다.
손상 DNA의 배제나 복원, 출력시 생체연령 설정부터 신장·체중·근육량·체지방률은 물론이고 옵션으로 머리카락, 피부, 눈동자 색이나 신체 각 사이즈 변경, 성능 강화 등 전문적인 항목까지 포함하면 삼만 항목 이상의 파라미터를 조절할 수 있다.
전신을 프린트아웃하는 데에 필요한 시간은 평균 열흘 전후다.

갈리에게 파괴당한 음바디의 왼손도 바이오프린터를 사용해 하루 만에 재생되었다.

YUKITO PRODUCTS
STAFF

기시로 유키토
기시로 쓰토무
기나리 에미야

연재일람

Phase : 106 LASTORDER
『이브닝』 2012년 8호

Phase : 107 갈리 퀘스트 I
『이브닝』 2012년 12호

Phase : 108 갈리 퀘스트 II
『이브닝』 2012년 14호

Phase : 109 갈리 퀘스트 III
『이브닝』 2012년 16호

Phase : 110 갈리 퀘스트 IV
『이브닝』 2012년 18호

Phase : 111 갈리 퀘스트 V
『이브닝』 2012년 20호

Phase : 112 갈리 퀘스트 VI
『이브닝』 2012년 24호

Phase : 113 갈리 퀘스트 VII
『이브닝』 2013년 2호

Phase : 114 갈리 퀘스트 VIII
『이브닝』 2013년 4호

Phase : 115 갈리 퀘스트 IX
『이브닝』 2013년 6호

Phase : 116 갈리 퀘스트 X
『이브닝』 2013년 10호

Phase : 117 갈리 퀘스트 XI
『이브닝』 2013년 12호

Phase : 118 갈리 퀘스트 XII
『이브닝』 2013년 14호

Phase : 119 갈리 퀘스트 XIII
『이브닝』 2013년 16호

Phase : 120 갈리 퀘스트 XIV
『이브닝』 2013년 20호

Phase : 121 갈리 퀘스트 XV
『이브닝』 2013년 22호

Phase : 122 갈리 퀘스트 XVI
『이브닝』 2013년 24호

Phase : 123 갈리 퀘스트 XVII
『이브닝』 2014년 2호

Final Phase 갈리 퀘스트 XVIII
『이브닝』 2014년 4호

옮긴이 주원일

일본어 번역가. 초등학생 시절 우연히 게임 잡지를 접하며 일본 서브컬처의 매력에 빠지게 되어,
현재는 만화와 소설, 게임 등 다양한 매체의 번역에 매진하고 있다.
주요 번역작으로 『피코피코 소년』 『소녀불충분』 『나는 친구가 적다』 『에도산책』 『중쇄를 찍자!』 등이 있다.

총몽 GUNNM Last Order 12 (완결)

©Yukito Kishiro / Kodansha, Ltd.

초판 인쇄 2020년 10월 14일
초판 발행 2020년 10월 21일

만화 기시로 유키토
옮긴이 주원일

펴낸이 염현숙
책임편집 천강원
편집 김지애 이보은 김해인 │ 디자인 백주영
마케팅 정민호 정진아 함유지 김혜연 김수현
홍보 김희숙 김상만 지문희 김현지 │ 제작 강신은 김동욱 임현식

펴낸곳 ㈜문학동네
출판등록 1993년 10월 22일 제406-2003-000045호
주소 10881 경기도 파주시 회동길 210
전자우편 comics@munhak.com
대표전화 031-955-8888 │ 팩스 031-955-8855
문의전화 031-955-8862(마케팅) │ 031-955-8893(편집)

ISBN 978-89-546-7419-5 07830
         978-89-546-7205-4 (세트)

카페 cafe.naver.com/mundongcomics
페이스북 facebook.com/mundongcomics
트위터 @mundongcomics
인스타그램 @mundongcomics
북클럽 bookclubmunhak.com

www.munhak.com